Antônio Carlos Costa é um homem extraordinário, um pregador eloquente, um escritor de escola, um erudito com a mente iluminada e, ao mesmo tempo, um homem do povo, com coração terno. Sua vida é o avalista de suas palavras. Este livro, de leitura imprescindível, retrata sua cosmovisão, ação e paixão por Deus e pelo ser humano.

HERNANDES DIAS LOPES
Pastor titular da Primeira Igreja Presbiteriana
de Vitória (ES), conferencista e escritor

Ler *Convulsão protestante* é mergulhar na luta incessante de Antônio pela implantação dos valores do reino de Deus na terra. Esta obra é mais que um livro: é um desafio para a igreja brasileira, em especial a liderança. Já chegou a hora de a igreja sair das quatro paredes para ser sal e luz no meio de uma sociedade que clama por justiça.

MARCELO GUALBERTO
Pastor da Comunidade Presbiteriana Central de Belo Horizonte (MG)
Diretor Nacional da Mocidade para Cristo (MPC) do Brasil

O profundamente sensível e íntegro pastor Antônio Carlos é o Tiago contemporâneo. Ele integra o que fala com o que vive, coisa rara em nossos dias, e conheço poucos que vivem o evangelho de Cristo com tanta convicção e paixão. Neste livro você encontrará uma profunda combinação de boa teologia com vivência evangélica apaixonada.

RICARDO BARBOSA DE SOUSA
Pastor da Igreja Presbiteriana do Planalto, em Brasília (DF)

Proclamamos, nossa voz é ouvida, mas temos as mãos retraídas e os pés tímidos. Pregamos o Deus encarnado com uma prática que desconsidera as implicações da encarnação. Estamos dispostos a ir até onde alcança nossa voz? Nesta obra apaixonante seremos desafiados a reconsiderar nossa prática de obediência missionária.

ZIEL MACHADO
Pastor da Igreja Metodista-Livre Nikei, em São Paulo (SP)
Diretor acadêmico do Seminário Servo de Cristo (SP)

ANTÔNIO CARLOS COSTA

CONVULSÃO PROTESTANTE
QUANDO A TEOLOGIA FOGE DO TEMPLO E ABRAÇA A RUA

Copyright © 2015 por Antônio Carlos Costa
Publicado por Editora Mundo Cristão

Os textos das referências bíblicas foram extraídos da *Nova Versão Internacional* (NVI), da Biblica Inc., salvo indicação específica. Eventuais destaques nos textos bíblicos e citações em geral referem-se a grifos do autor.

Todos os direitos reservados e protegidos pela Lei 9.610, de 19/02/1998.

É expressamente proibida a reprodução total ou parcial deste livro, por quaisquer meios (eletrônicos, mecânicos, fotográficos, gravação e outros), sem prévia autorização, por escrito, da editora.

CIP-Brasil. Catalogação-na-fonte
Sindicato Nacional dos Editores de Livros, RJ

C87c
    Costa, Antônio Carlos
       Convulsão protestante: quando a teologia foge do templo e abraça a rua / Antônio Carlos Costa. — 1. ed. — São Paulo: Mundo Cristão, 2015.
       256 p.; 21 cm.

       ISBN 978-85-433-0082-5

       1. Cristianismo. 2. Sociologia. 3. Teologia. I. Título.

15-21395
                      CDD: 226
                      CDU: 226

Categoria: Cristianismo/Sociedade

Publicado no Brasil com todos os direitos reservados por:
Editora Mundo Cristão
Rua Antônio Carlos Tacconi, 79, São Paulo, SP, Brasil, CEP 04810-020
Telefone: (11) 2127-4147
www.mundocristao.com.br

1ª edição: junho de 2015
4ª reimpressão: 2018

Dedicatória

Durante quinze anos ou mais, eu o via chegar à igreja junto com a esposa, sentar-se num dos bancos e, ao término do culto, retirar-se. Não sabia o seu nome, o que fazia, onde morava. Parecia-me um homem muito bem-sucedido.

Houve um domingo no qual a história de nossas vidas se entrelaçou para sempre. Na semana anterior, eu tinha visitado as carceragens da Polícia Civil em Neves, no município de São Gonçalo (RJ). Voltei de lá aturdido com o que testemunhara. As impressionantes violações dos direitos humanos causaram-me um misto de ira e compaixão. Celas superlotadas, doenças de pele, calor insuportável, mau cheiro.

Desabafei com a igreja naquele dia. Apresentei o relato de tudo que havia visto e convidei todos a lutar pelos direitos de homens que a sociedade e o poder público querem ver mortos. Cerca de vinte pessoas se dispuseram a participar dos mutirões que passamos a realizar aos sábados, nos quais oferecíamos atendimento odontológico, médico, jurídico, psicológico e espiritual aos detentos.

Não tardou que um daqueles voluntários chamasse minha atenção. Ele era o primeiro a chegar e o último a sair e, espontaneamente, passou a liderar o grupo inteiro. O que o vi fazer lá dentro será difícil sair da memória. Trancado nas celas, ouvia o drama dos detentos, cuidava dos dentes deles e limpava os cárceres. Criou um ambulatório e encaminhava doações. Lembro-me de um dia de calor abrasador, em que os presos começaram a passar mal. Entrei na galeria da facção criminosa Comando Vermelho e o encontrei de joelhos, desenrolando a língua de um rapaz que entrara em convulsões.

Logo, passei a vê-lo envolvido com nossas manifestações de rua, comprando material para os protestos, participando da concepção das instalações e trabalhando duro de madrugada a fim de que tudo estivesse pronto às seis horas da manhã, conforme costumamos fazer.

Como se não bastasse tudo isso, pude vê-lo assumir todo o nosso trabalho humanitário nas favelas do Rio de Janeiro, trazendo ordem ao caos de meus sonhos irresponsáveis e transformando-se em amigo, conselheiro e dentista.

Falo de Gregório Dotorovici, de origem judaica, convertido à fé cristã, dentista de sucesso, que tem dedicado a vida à causa da justiça, do direito e do evangelho.

Obrigado, amigo! Tive de honrá-lo. Pobres, detentos e eu devemos muito a você.

Sumário

Agradecimentos	9
Apresentação	11
Prefácio	15
Introdução	19
1. A cosmovisão cristã e a dignidade humana	27
2. A Igreja e os desiguais	37
3. Causas da pobreza e da riqueza	55
4. Eleição e missão ao pobre	65
5. A teologia da riqueza	85
6. Discipulando e confrontando o rico	125
7. Libertando o pobre	173
8. Desdobramentos do amor político	207
Conclusão	237
Notas	243
Referências bibliográficas	251
Sobre o autor	255

Agradecimentos

Sou grande devedor da Igreja Presbiteriana da Barra, que me permite exercer meu ministério em condições excepcionais, concedendo-me rara liberdade de trabalho. Obrigado, em especial, aos presbíteros Tony, Nairo, Marcelo e Ozias, e ao pastor Aloísio, pela compreensão, em amor, da natureza do meu chamado, pelas palavras de encorajamento e por dar suporte espiritual à igreja — o que me tem permitido atuar na esfera pública.

Não tenho como deixar de mencionar os diretores e conselheiros do Rio de Paz: Luiz Vanderley, Téo Elias, Mônica Elias, Hélder Souza, Marcos Simas, Gerson Pacheco, Décio Tomaz, Liane Rangel, Henrique Ziller e Fabiano Rangel. Eles puseram ordem na casa e sempre me dão apoio por meio de conselhos sábios e oração.

Agradeço aos companheiros preciosos que estão comigo desde o início, dos quais falarei com mais detalhes quando lançar o livro que contará a história do Rio de Paz. São eles: Pierre-Yves Equinet, *mon cher ami*, companheiro das madrugadas frias, do calor do dia, das missões impossíveis, dos dias dos humildes começos; Jorge Antonio Barros, craque do jornalismo brasileiro, que como ninguém me ajudou a lidar com a imprensa; Simone Villas-Boas, criadora de nossa primeira identidade visual; Sérgio Pugliese, por nos permitir utilizar gratuitamente os serviços de uma das maiores agências de comunicação da América Latina, a Approach, cujos funcionários atuam como se fossem membros do Rio de Paz; e Léo Aguilar, fundador do movimento e comandante da assessoria de imprensa e de comunicação. André Mineiro, guerreiro de muitas ações em prisões, favelas e manifestações de rua, por não ter dado as costas à indispensável causa da defesa dos direitos humanos. Andrew Johnson, sociólogo americano, amigo do coração, conselheiro, que vive uma das formas belas que conheço de se encarnar os ideais cristãos.

Há uma multidão de voluntários de diferentes partes do Brasil e do mundo, sobre cujo trabalho espero falar por ocasião do livro já mencionado. Muitos, neste exato momento, estão com seu rosto diante dos meus olhos.

Meu sincero agradecimento aos irmãos da Editora Mundo Cristão, por confiar em mim e abrir as portas para que eu me tornasse um de seus autores. Aqui vai a expressão do meu carinho pelos amigos Maurício Zágari, Mark Carpenter, Renato Fleischner e Ricardo Dinapoli.

Tive um sonho que não pude realizar: expressar pessoalmente ao grande escritor, pastor e teólogo inglês John Stott quanto sua teologia da missão da Igreja serviu de base intelectual para a criação do Rio de Paz. Tive a honra, contudo, de redigir seu obituário no jornal *O Globo*. Aqui vai a manifestação *in memorian* de quanto devo a ele, que da Inglaterra fez teologia aplicável à América Latina.

Aproveito, finalmente, para declarar meu amor pela vida de minha mulher, Adriany, e meus três filhos, Pedro, Matheus e Alyssa. Só de escrever seus nomes já me emociono. Atribuo conscientemente à graça divina a preservação de minha família, apesar do desgaste que vivemos por conta das tarefas incomuns que Deus me incumbiu de realizar.

Apresentação

Antônio Carlos Costa é um nome conhecido no Brasil e no exterior por sua atuação à frente do Rio de Paz, ONG que tem como missão "ser agente de redução das violações dos direitos humanos por meio de ações pacíficas e criativas que mobilizem sociedade e poder público", segundo informa o *website* da instituição. Em seus anos de atuação, o Rio de Paz e seu fundador se tornaram respeitados nos mais diversos âmbitos, graças às ações bem-sucedidas em favor do ser humano, a despeito de classe social, profissão, credo ou o que for.

Por isso, Antônio — como gosta de ser chamado; sem pompa, cargos ou predicados — transita com liberdade por ambientes que vão dos gabinetes dos três poderes oficiais do Estado aos becos do poder paralelo dos traficantes de drogas, passando pelas redações do quarto poder. Seja com senadores, seja com criminosos, seja no ar condicionado do Congresso Nacional, seja no calor insalubre das favelas, não importa: Antônio vai aonde tiver de ir para promover a dignidade do ser humano e reivindicar direitos esquecidos por quem deveria defendê-los.

Não se espante, portanto, se você esbarrar em Antônio dentro de uma delegacia, distribuindo donativos para os prisioneiros; na praia de Copacabana, cravando cruzes na areia para protestar contra mortes resultantes da violência policial; em frente à sede da FIFA, na Suíça, em uma manifestação contra o uso de recursos públicos para a realização da Copa do Mundo de Futebol; em favelas malcheirosas, onde entra para implementar projetos de melhoria de vida; no gabinete de senadores e prefeitos, em conversas elucidativas ou reivindicadoras; ou mesmo em uma boca de fumo de uma comunidade dominada pelo tráfico, negociando a vida de uma pessoa que, se ele não estivesse ali, poderia ser executada por suas ações.

O que muitos não sabem é que Antônio é pastor evangélico. Antes de se tornar ativista de direitos humanos, esse filho de policial chegou a ganhar a vida vendendo contrabando, até o dia em que teve um encontro revolucionário com Jesus de Nazaré. Antônio tornou-se cristão. Tempos depois, transformado pela influência do evangelho, foi atraído pelo chamado ministerial e tornou-se pastor. O agora *reverendo* Antônio Carlos Costa passou a desenvolver suas atividades eclesiásticas à frente da Igreja Presbiteriana da Barra, no Rio de Janeiro, sem preocupações incomuns aos clérigos. Então, novamente, foi impactado de modo profundo, desta vez não por uma experiência que redefiniu sua fé, mas, sim, a trajetória de suas ações. Ao travar contato com o mundo da miséria, do desrespeito aos direitos humanos, da violência e da brutalidade, teve o rumo de sua vida alterado. Passou por um processo de reavaliação de valores e atitudes, uma significativa mudança de curso. Incapaz de permanecer indiferente à dor do mundo ao redor, o pastor repensou sua forma de agir e começou a se dedicar simultaneamente aos púlpitos da igreja e à luta corpo a corpo contra o absurdo social.

Neste livro, Antônio mostra como os valores cristãos foram a base sobre a qual construiu seu ativismo e conclama todos os que dizem se importar com o ser humano a arregaçar as mangas e agir. "A Bíblia manda amarmos o próximo, o que significa, entre outras coisas, fazer o que estiver ao nosso alcance para socorrê-lo em suas necessidades — especialmente quando ele não tem subsídios para socorrer a si mesmo. Esse amor é chamado nas Escrituras de *misericórdia*", diz ele em certo ponto do texto. Por isso, esta obra é, acima de tudo, uma demonstração de como a fé do homem é capaz de levá-lo a patamares cada vez mais elevados de envolvimento com a dor do próximo.

Salta aos olhos na leitura a possibilidade de se dedicar à humanidade sem ter como motivação ideais de esquerda ou de direita. Como Antônio mesmo enfatiza, o pensamento que o leva a defender o que é justo não é o de Karl Marx; tampouco o de Adam Smith: é o que ele acredita ser o de Jesus Cristo, conforme exposto na Bíblia. Depois de percorrer todas as páginas deste livro, fica a certeza: o que impulsiona Antônio em sua luta não é raiva, ira, rebeldia, anarquismo, ambições político-partidárias, vaidade ou algo do gênero: é o amor a Deus sobre todas as coisas e ao próximo como a si mesmo.

Boa leitura!

MAURÍCIO ZÁGARI
Editor

Prefácio

Tenho uma história de vida peculiar, marcada por experiências contrastantes. Nasci em São Paulo e vivi minha infância no mais elevado bem-estar. Na casa de meu avô, nos anos 1960, havia três empregadas, motorista particular e muita fartura, em um dos melhores lugares da rica Pauliceia! Depois de alguns anos, por circunstâncias de trajetória familiar, fui morar no interior de Tocantins. Ali, na casa de um primo médico, convivi com gente muito pobre e, até, com indígenas. Vi, bem de perto, muitas necessidades. Naquele lugar, conheci a mensagem do evangelho e fui alcançado pela graça de Deus.

Duas pessoas chamaram minha atenção naquela época: meu primo, Dr. Franklin Sayão, que passou a vida abençoando gente pobre e fez projetos sociais e de saúde para o benefício de milhares de pessoas da região; e o Pr. Guenther Krieger, missionário e linguista, que deu sua vida para abençoar os índios xerentes. Os dois eram muito capazes e teriam ficado ricos caso tivessem optado por viver na cidade grande com o objetivo de enriquecer. Mas foram por outro caminho.

Muito tempo passou. Depois de me formar, casar e começar a trabalhar no ministério pastoral, fui viver num dos bairros mais necessitados da zona sul de São Paulo. Lá vi a loucura de perto. Gente assassinada toda semana, executada por nada. Minha casa era protegida por dois traficantes, filhos de crentes! Aquilo não existia! Fiz sepultamento de bandido, andei por favelas, entrei em casas que faziam pessoas de classe média vomitar. Como se pode dizer: vi o Diabo!

Ao mesmo tempo, prosseguia minha trajetória acadêmica e convivia com os ambientes teológicos e as classes média e alta. Aos poucos, vi e senti o que era exclusão, racismo, ódio, desprezo pelo pobre, frieza e indiferença. Isso estava claro entre os que se apresentavam como gente "de direita", de classes superiores. Todavia, vi também muitos ditos defensores dos pobres, "de esquerda", nos seus cafés elitizados, usando os pobres como massa de manobra para finalidades políticas e econômicas. Lamentável! A miséria humana, com todos os seus contornos, em alguns momentos me fez chorar como criança. Mais recentemente, isso aconteceu de novo, andando por algumas ruas da Cracolândia, em São Paulo.

Quando conheci de perto o reverendo Antônio Carlos Costa, senti intensa fraternidade e comunhão. Ali estava alguém que tinha vivido na realidade das classes média e alta e visto o que se tornou a indiferença protestante tradicional brasileira para com a dor dos mais necessitados — e que experimentara o choque dessa realidade! Foi um grande impacto. Fiquei sinceramente comovido com suas palavras e seus testemunhos. Nunca me esquecerei!

Fico muito feliz de ver, agora, essa experiência traduzida em livro. Uma obra palpitante, cheia de vida, suor, lágrimas e sangue. É mista, mesclada e peculiar. Traz informação técnica, reflexão teológica, percepção sociopolítica, testemunho pessoal e, principalmente, *gritos*! Gritos

PREFÁCIO | **17**

abafados pela nossa consciência alienada. Gritos de gente morta em prisões e morros! Gritos de dor e protesto de Antônio Carlos. Gritos da história protestante e evangélica de misericórdia e graça esquecidas! Gritos de crianças sem esperança!

Meu sincero desejo é que o amigo leitor não apenas leia *Convulsão protestante*. Espero que venha a comê-lo e a senti-lo. Mas, talvez, seja melhor pedir que ouça os gritos! Tire a proteção dos ouvidos e também do coração! Escute! Não há esperança para a nossa sociedade injusta e cambaleante fora do amor de Deus demonstrado em Cristo! A Igreja precisa acordar e começar a agir!

O que define nossa vida é mente, coração e mãos. Pensar, sentir e agir. Nossa tradição religiosa reflete e confabula demais. Muitas vezes, torna-se sensacionalista e entrega-se a uma espiritualidade alienante e emocionalista. Quando age, é, muitas vezes, pragmática e egocêntrica. Está na hora de arregaçar as mangas e fazer a diferença! É preciso fazer com que nossas mãos venham a agir, curar, amar, salvar, abraçar e trazer vida e esperança.

Muito me alegro que neste livro não tenhamos uma proposta ideológica, uma defesa de posição política ou de uma alternativa teológica exótica. Temos apenas um testemunho de alguém que viu a maldade, o pecado, a injustiça, a miséria e a dor de perto e resolveu agir objetivamente. Precisamos urgentemente de projetos de misericórdia no reino de Deus (cf. Mt 5.16)! Isso é graça concreta, mostrada aos desfavorecidos e machucados pela maldade no mundo. Jesus sempre foi movido por profunda misericórdia. Ele não podia conter-se diante da dor e do sofrimento humanos. Santos do passado chegaram a se vender como escravos para poder amar o próximo no meio de sua dor e levar o evangelho de Cristo. Meu desejo é que este livro realinhe seu projeto de vida e suas prioridades. É preciso acordar.

Parabenizo, de coração, o amigo autor e os editores por esta obra. Que Deus os abençoe muito e faça frutificar este livro.

Termino lembrando-me de um projeto de ajuda a gente muito necessitada de que participei. Vi o semblante de tantas pessoas naquele dia. Elas estavam recebendo ajuda médica, social, espiritual e muito mais. Todavia, fiquei apavorado. Não havia qualquer reação. Pareciam mortas por dentro. Sem nenhum sinal de esperança. Ali, a pedofilia era coisa comum. Havia até mães que negociavam a filha com o próprio pai. Era muita dor, muita miséria, muito pecado. Por um momento, eu me recolhi e refleti sobre minha vida confortável e tranquila. Não aguentei e chorei muito! Pensei nos milhões de seres humanos presos, humilhados, vítimas de guerra, doentes, desesperados, perdidos, sem Cristo, sem coragem, sem ânimo. Então orei: Deus, tem misericórdia! Deus, acorda essa igreja preocupada com inutilidades e sempre disposta a brigar e a ter divisões! Deus, ajuda-me e liberta-me do meu egoísmo!

Naquele dia, pensei: quem sabe Deus ainda "me converta" e me ajude a ser instrumento da graça do Pai neste mundo de dor. Antônio Carlos esteve comigo. Em suas jornadas pelo morro, eu estive com ele. A gente apenas não se viu... só as lágrimas e a graça do Pai é que se encontraram!

Luiz Sayão
Pastor da Igreja Batista Nações Unidas (SP) e
diretor do Seminário Batista do Sul do Brasil (RJ)

Introdução

Conheci o mundo das favelas em 2009, dois anos após haver dado início às manifestações de rua da ONG Rio de Paz, que tinham como objetivo a redução dos homicídios no estado do Rio de Janeiro. Um adolescente pobre, de apenas 15 anos, sem envolvimento com o tráfico de drogas, havia sido morto com um tiro na testa desferido por um policial da tropa de elite da Polícia Militar do estado, o Batalhão de Operações Especiais (BOPE). A morte de Rafael ocorreu durante uma operação na favela Mandela, na zona norte do Rio.

Resolvi ir ao enterro, munido de uma câmera, para enviar as imagens à imprensa e postá-las nas redes sociais. Tinha como objetivo mostrar à classe média o que o pobre sente ao enterrar um filho que teve a vida interrompida de modo tão absurdo. Minha luta era para ver a sociedade mobilizada no combate contra as mortes violentas.

No momento em que o caixão baixava à sepultura, chamou minha atenção o desespero de uma adolescente. Foquei nela. Ao perceber que estava sendo filmada, partiu, xingando, em minha direção, pensando provavelmente que eu era um jornalista que explorava sua desgraça. Abaixei a câmera e me dirigi a ela. Procurei explicar o que estava fazendo. Aflito, notei a aproximação de alguns homens.

Não sabia o que queriam comigo, por isso lhes disse quem eu era e o que fazia ali. Descobri, então, que eram líderes comunitários das favelas do Complexo de Manguinhos. Todos compreenderam meus motivos e confiaram em mim. Ao perceber a porta aberta para o diálogo, propus que fizéssemos um ato público dentro da favela, no local onde Rafael havia sido morto. Eles prontamente aceitaram.[1]

No domingo seguinte, dirigi-me à igreja onde sou pastor, na Barra da Tijuca, bairro majoritariamente de classe média alta, no Rio de Janeiro. Relatei a experiência que tive no enterro e o compromisso firmado com os moradores. Também falei da importância de sairmos de Copacabana, onde realizávamos nossas manifestações, para dar voz ao pobre dentro da favela. Destaquei que era nosso dever, como cristãos e cidadãos, estar lá, mas enfatizei que não poderia garantir a segurança de ninguém. Afinal, tratava-se de um protesto contra uma ação policial numa área que se encontrava sob domínio territorial armado da maior facção do tráfico de drogas do estado.

Cerca de trinta pessoas foram comigo. Decidimos protestar dentro da comunidade, localizada numa região que, devido ao histórico de violência, recebera o apelido de Faixa de Gaza. Era o terror dos policiais cariocas. Conseguimos levar muitos veículos de imprensa para lá, movidos pelo anseio de dar voz ao pobre e combater o abuso de poder.[2] Logo após chegarmos ao local, recebemos autorização dos traficantes para entrar na favela. Naquele dia, passei pela minha segunda conversão. Ao pôr os pés na aberração social que era aquela comunidade — infestada de esgoto ao ar livre e ratazanas, repleta de crianças vivendo em estado de miséria aviltante, sem mencionar muitas coisas sobre as quais só poderei falar daqui a vinte anos, a fim de não expor ao perigo a minha vida e a de pessoas que amo —, minha teologia entrou em convulsão. Lá estava eu, o pastor de uma igreja presbiteriana que plantei, em 1992, em um bairro de classe média alta do Rio de Janeiro, apaixonado desde a juventude pela teologia calvinista do cristianismo, num mundo novo e perturbador que ignorei a vida inteira.

Aconteceu comigo o que Frei Betto escreveu no livro *A mosca azul*: "A cabeça pensa onde os pés pisam".[3] Perguntas invadiram minha mente: o que meu calvinismo tem a dizer sobre essa realidade? Que leitura devo fazer da miséria desse povo? Como essa gente veio parar aqui? O que se pode fazer para livrá-la dessa condição? Como posso manter meu antigo modelo ministerial, inspirado na vida de pregadores que até hoje amo, caracterizado pela dedicação à preparação de sermões, ao aconselhamento pastoral e à pregação? Como serei capaz de permanecer atrelado a um modelo de ministério pastoral que me impede de viver a vida que, como mostra a Bíblia, o próprio Cristo viveu? Uma vida de se fazer presente sempre onde havia mais demanda de compaixão, em busca de gente que gemia de dor sem ser ouvida. Pode-se conceber, à luz das Escrituras Sagradas, que a Igreja não se sinta chamada para cuidar dos miseráveis da terra, aos quais Cristo dedicou quase a totalidade de sua vida? É concebível uma igreja que não tenha chamado para o pobre? Como resumir o exercício do amor à evangelização e à filantropia, uma vez que a ação política é imprescindível para livrar vidas humanas de seu estado de miséria? Qual igreja pode trazer saneamento básico para essa favela? Como evitar que crianças levem tiro na cabeça em um tiroteio entre policiais e traficantes? Como reformar esse mar de barracos? Como cuidar das doenças respiratórias e de pele de seus moradores? Como manter esses jovens, na maior parte do tempo, em escolas que os atraiam?

Era claro para mim que o evangelho tinha de ser proclamado por uma Igreja santa. Mas... o que é ser santo? Pode o santo tomar conhecimento desse cenário de horror em sua cidade e permanecer indiferente? Pessoas não ouvem cristãos arrogantes, mentirosos ou mercenários, isso nós sabemos. Mas o que dizer daqueles que se escandalizam com a omissão da Igreja face a tamanha injustiça social?

"Deus", eu orei então, "existe, portanto, o amor político?".

Na Alemanha de Hitler, a pergunta era: o que significa ser cristão num Estado totalitário regido pelo nazismo? Nos Estados Unidos de Martin Luther King, o dilema tinha característica bem distinta: como viver numa nação na qual crianças negras não podem entrar em ônibus reservados para crianças brancas? O que o Espírito Santo está perguntando hoje aos cristãos brasileiros? O que vi aquele dia levou-me a crer que viver no Brasil impõe à Igreja a imperiosa necessidade de responder à seguinte pergunta: o que significa ser cristão num país de miséria e desigualdade social?

Depois daquele dia transformador, nunca mais saí da favela. Meu calvinismo, aquele que procura obediência a Cristo, me fez permanecer ali, assumindo todas as consequências de minha decisão. Passei a ler a Bíblia com outros olhos: nela, vejo o pobre por toda parte. Percebi um novo princípio ético-missionário: o amor que antecede a evangelização e a luta pela justiça social. Aprofundei meu conceito de missão. Hoje, entendo que a missão da Igreja é amar. Amar com amor simétrico, harmonioso, belo e santo, no qual todas as virtudes atuam em conjunto.

INTRODUÇÃO | **23**

Algo mais aconteceu. A partir do momento em que fui às ruas, passei a me encantar ainda mais com o cristianismo e perceber que é um erro gigantesco chamá-lo de "ópio do povo". No meu caso, as passagens bíblicas que tratam de justiça social mobilizam todo o meu ser, me levam às lágrimas e me incentivam à luta. Uma igreja capaz de compreender o que a fé cristã tem a dizer sobre direito e justiça transforma-se inevitavelmente num núcleo de resistência à opressão, uma base para movimentos de reforma social e, até mesmo, revolução, uma vez que aqueles que detêm o poder e oprimem o povo podem se recusar a ouvir os apelos do oprimido, suprimindo a liberdade de expressão e sufocando direitos civis e políticos. Assim, terão de enfrentar a ira do amor, que sempre desperta no coração de quem, por conhecer a Deus e amar o próximo, não tolera a tirania.

Ao procurar compreender a realidade da favela à luz do evangelho, ficou claro para mim que uma leitura da Bíblia por um viés ideológico de esquerda ou de direita não dá conta daquela realidade. Passei a ver as influências tanto do marxismo quanto do liberalismo econômico puro dentro da Igreja como algo profundamente prejudicial à missão cristã no mundo, uma vez que essas ideologias produzem romantismo ou desumanidade. As Escrituras cristãs ensinam que o homem pode ser tanto responsável pela sua miséria quanto vítima de um modelo político-econômico de opressão. Lamentavelmente, contudo, há membros de igrejas que são mais de direita ou de esquerda que cristãos.

Este livro é resultado de minhas experiências de campo, associadas à compreensão de textos da Bíblia cujo significado mais profundo e cujas implicações práticas mais concretas eu não conseguia enxergar. O contato com a dor de parentes de vítimas de homicídio, o convívio com jornalistas que cobrem o dia a dia da segurança pública do Rio de Janeiro, o diálogo com pesquisadores e criminologistas, a imersão nas áreas de miséria da cidade e o envolvimento com a rotina das carceragens da Polícia Civil levaram-me a ver a desigualdade social e o estado de exclusão, privação e vulnerabilidade do pobre como males a ser enfrentados pelos cristãos.

É incontestável que vivemos num mundo de exploradores e exploradores. O pobre é a maior vítima desse sistema de exploração, mantido pelo rico, mecenas da maldade e patrocinador da exploração. E, aqui, faço questão de enfatizar: falo de todos os ricos? Certamente que não. Não se pode generalizar. Como negar, contudo, o que qualquer livro de história nos ensina? O rico, ao longo dos séculos, tem se mostrado, na maioria esmagadora dos casos, refratário a reformas político-sociais que atinjam o lucro que ele tanto preza. As dificuldades que tenho encontrado na luta pela redução da taxa de homicídio no Brasil, especialmente quando deparo com medidas tão óbvias que salvariam milhares de vidas e que, de modo inaceitável, não são implementadas pelo poder público, levaram-me a crer que o poder econômico está por trás de grande parte das desgraças que enfrentamos no país, desde os salários baixos até a corrupção política. Lá na ponta, vemos, como resultado da exploração e da manipulação acintosa do sistema, o pobre vivendo em favelas, enterrando parentes assassinados e superlotando as prisões de um país cujo sistema prisional só serve para colocar miseráveis na cadeia.

Este livro é um chamado para lidarmos de modo cristão tanto com o pobre quanto com o rico. Nesse sentido, desejo apresentar princípios para a luta contra a desigualdade social e as deformidades que ela produz, sem enveredar pelo caminho das ideologias extremas, mas, sim, com base nos princípios cristãos em que acredito e que nortearam e norteiam toda a minha atuação no Rio de Paz. Estou certo de que, se ampliarmos nossas preocupações éticas e missionárias, não nos limitando à sua dimensão privada, e formando forte espírito público no coração das pessoas, a ponto de elas não tolerarem modelos de exploração social, viveremos de forma mais bela e reta, perturbadora para os poderosos, libertadora para o pobre e agradável para o que escolheu ser encontrado no necessitado.

Afinal, Deus ama ser achado no pobre e dar-se por conhecer no caminho da luta pela justiça.

CAPÍTULO 1

A cosmovisão cristã e a dignidade humana

EMBORA TENHA SIDO REDIGIDA antes do ano 70, a carta de Tiago trata de questões que podem ser aplicadas à vida de toda comunidade cristã do século 21. A atualidade dos problemas que aborda chama a atenção de qualquer leitor atento, o que nos leva à conclusão de que há certas leis sociológicas, frutos da propensão humana à maldade, que teimam em se repetir. Em vista de seu caráter pérfido, essas leis devem ser enfrentadas por todos, especialmente os que ocupam cargos de liderança, como Tiago. A passagem a seguir, extraída de sua carta, aborda conflitos sempre presentes na Igreja e na sociedade.

Meus irmãos, como crentes em nosso glorioso Senhor Jesus Cristo, não façam diferença entre as pessoas, tratando-as com parcialidade. Suponham que na reunião de vocês entre um homem com anel de ouro e roupas finas, e também entre um pobre com roupas velhas e sujas. Se vocês derem atenção especial ao homem que está vestido com roupas finas e disserem: "Aqui está um lugar apropriado para o senhor", mas disserem ao pobre: "Você, fique em pé ali", ou: "Sente-se no chão, junto ao estrado onde ponho os meus pés", não estarão fazendo discriminação, fazendo julgamentos com critérios errados?

Ouçam, meus amados irmãos: Não escolheu Deus os que são pobres aos olhos do mundo para serem ricos em fé e herdarem o Reino que ele prometeu aos que o amam? Mas vocês têm desprezado o pobre. Não são os ricos que oprimem vocês? Não são eles os que os arrastam para os tribunais? Não são eles que difamam o bom nome que sobre vocês foi invocado?

Tiago 2.1-7

Vivemos dias de graves ameaças internas à saúde da Igreja: cultos de adoração viraram espetáculos de entretenimento, pregadores procuram livrar congregações cristãs do contato com o Deus real, e a mentalidade de mercado rege a relação do púlpito com os bancos. Por isso é importante ressaltar que, no primeiro século da era cristã, pastores como Tiago investiam tempo na demonstração das implicações práticas da verdade, procurando aplicar a doutrina de modo claro e objetivo, dando nome às contradições da Igreja e procurando, desse modo, evitar que ela mesma se transformasse em obstáculo para a difusão do evangelho.

Os termos que Tiago usa para se dirigir aos destinatários da carta revelam sua perplexidade e aversão a erros que vinham sendo cometidos no seio da Igreja. O modo como Tiago se dirige à Igreja, contudo, deve ser observado com extrema atenção. Ele faz um juízo caritativo das falhas morais daqueles cristãos. Tiago denuncia o pecado, mas jamais o apresenta como sinal de que não havia uma Igreja. Existia, sim, uma verdadeira comunidade cristã, embora estivesse vivendo uma inexplicável contradição. Essa é uma lição que deveria ser aprendida pelos que se veem como profetas e reformadores sociais e que, em não poucas ocasiões, movidos pela paixão pela causa, perdem a eficácia por terem se tornado amargos e carentes do respeito dos que os ouvem. Existe um mal que domina muitos:

o orgulho de fazer o bem, que pode nos levar a pregar de modo arrogante.

Não é tarefa fácil para quem está na linha de frente, diante da miséria e da injustiça, saber lidar com a indiferença, tanto da parte da sociedade quanto da Igreja. Há uma tendência a julgar tudo como ilusório, irreal, falso. Daí surge a necessidade de as pessoas que se encontram na ponta sempre regularem no coração o que a boca vai dizer. Há um modo cristão de fazer as coisas e, no que se refere à nossa forma de falar, devemos refletir o alto conceito que a Bíblia transmite sobre o homem. Chama-nos a atenção o fato de Tiago se dirigir de modo doce aos leitores da epístola: "Meus irmãos...". Não há compromisso com a verdade que justifique a estupidez no ato de pregar. Ao chamá-los de "irmãos", Tiago pavimenta o caminho para o que haverá de dizer. Se o educador quer atingir o âmago dos ouvintes, precisa aprender a tomar o caminho do coração. Aquele que nos ouve pode não aceitar o que tencionamos ensinar em virtude de como falamos. Comunicar a verdade de modo irritante ou ofensivo é injustificável.

Na sequência, Tiago adverte: "Meus irmãos, como crentes em nosso glorioso Senhor Jesus Cristo, não façam diferença entre as pessoas, tratando-as com parcialidade". Ser "crente em Jesus" significa ter *fé* nele. A palavra *fé* é um desses vocábulos cujo sentido varia de acordo com o contexto em que aparecem na Bíblia. Ela pode ter, por exemplo, o significado simples de mera fé na existência de Deus. Pode significar também algo que está além de crer que Deus existe. Não são poucas as passagens das Escrituras que atribuem à palavra *fé* o sentido de firme confiança nas promessas de Deus. Você pode crer, portanto, que Deus existe sem confiar na sua promessa de perdão e vida eterna que são oferecidos em Cristo.

30 | CONVULSÃO PROTESTANTE

Um dos significados de fé que se destaca dos que já foram mencionados é este: fé é o conjunto de crenças evangélicas, isto é, a totalidade da doutrina. Aquilo que muitas vezes é chamado de cosmovisão cristã,[1] ou, em outras palavras, *a forma de ver o mundo segundo os padrões cristãos*. Sim, o evangelho nos apresenta uma visão de mundo que parte de pressuposições firmes e inegociáveis — encontradas, em alguma medida, também em outros sistemas de pensamento.

Há, contudo, conceitos essencialmente evangélicos, que só encontramos na mensagem de Cristo. O cristianismo declara, por exemplo, que há um único Deus, pessoal e perfeito em seu ser e atributos. Com Cristo, aprendemos a chamá-lo de Pai. O Deus cristão perdoa os homens, sem exigir deles a prática de tolices para que sejam perdoados: não há passagens do Novo Testamento que estimulem, por exemplo, pessoas a subir de joelhos escadarias de igrejas, fazer peregrinação a locais sagrados ou lambuzar de óleo a porta de um escritório para o trabalho prosperar. O Pai, revelado por Cristo, não pede ao homem que pratique o que torna sua vida inviável a fim de chamar a atenção da divindade. O conceito cristão de Deus é de tirar o fôlego.

Ninguém jamais exaltou a Deus como Cristo. De igual modo, ninguém jamais exaltou o homem como Cristo. No cerne da antropologia de Jesus encontra-se seu elevado conceito da vida humana. Parte da mensagem do evangelho visa a lembrar à humanidade que não existe ser humano descartável. O escritor cristão C. S. Lewis destacou isso ao afirmar: "Não existe gente comum. Você nunca falou com um simples mortal".[2] Servir ao homem se iguala a servir àquele que o criou e que espera ser buscado e encontrado na vida do que sofre.

Ideias têm consequências

O evangelho, como conjunto de ideias, produz necessariamente consequências práticas para a totalidade da vida humana. Seus efeitos são inevitáveis. Assim, há o que poderíamos chamar de "modo de vida cristão", que não significa apenas ser "gente boa". Ser cristão não é sinônimo de "ser do bem". Certamente, o cristão ama e quer o bem. Mas ser cristão é, essencialmente, ver a vida de determinado modo e ajustar a conduta pessoal a essa forma de enxergar o mundo que o cerca.

O cristianismo, portanto, pode ser usado para justificar determinados procedimentos, vistos como corolário de sua mensagem. O cristão, por exemplo, sempre deverá ser a favor de regimes políticos democráticos. Em razão de seu alto conceito sobre a vida humana, o cristianismo jamais tolerará que o ser humano seja governado sem o seu consentimento. Mais que isso, em razão de seu realismo, de sua completa falta de romantismo quanto à natureza humana, a fé cristã sempre condenará todo regime totalitário. O poder tem a tendência de servir ao poder. Seu caráter corruptor é implacável. Como escreveu o politólogo francês Bertrand de Jouvenel:

> Um homem sozinho pode governar uma imensa massa porque forjou um instrumento que lhe permite ser "o mais forte" em relação a qualquer um: é o aparelho do Estado. O conjunto submetido constitui um "bem" do monarca, por meio do qual ele sustenta seu luxo, alimenta sua força, recompensa as fidelidades e persegue os fins que sua ambição lhe propõe.[3]

Para o evangelho, o poder tem de ser diluído, de modo que ninguém seja investido de demasiada autoridade. Numa sociedade sob influência do cristianismo, mecanismos políticos serão sempre criados para arrancar do poder os corruptos, os usurpadores e os incompetentes. Nada melhor para isso que os regimes democráticos, baseados no império da lei, nos quais há eleições livres, voto universal e controle social sobre o Estado.

Fato lamentável da história da humanidade é o reiterado uso do cristianismo para justificar o que não se harmoniza com a essência da própria mensagem. A Bíblia, que afirma que todos os homens foram criados à imagem de Deus (Gn 1.26-27), já foi usada para justificar o racismo, a escravidão e a opressão da mulher.

O que Tiago faz no texto que reproduzimos anteriormente é condenar um dos possíveis e contraditórios usos das Escrituras. O evangelho não deve jamais ser usado como justificativa para tratamento excludente, baseado em puro preconceito, por meio do qual a dignidade humana deixa de estar fundamentada na origem divina do homem, para ter como alicerce sua condição social ou raça. Tiago condena fazer "diferença entre as pessoas". A tradução Almeida Revista e Atualizada (RA) usa a expressão "acepção de pessoas". A palavra no original grego que foi traduzido nessa passagem por "diferença" ou "acepção", *prosopolepsia*, significa, literalmente, "receber o rosto". "Receber o rosto" é fazer julgamentos e estabelecer diferenças baseadas em considerações externas, tais como aparência física, *status* social ou raça.[4] Significa favoritismo, parcialidade. E isso é perder de vista parte de um artigo de fé fundamental da antropologia bíblica, que declara a dignidade de todo ser humano, em razão da imagem de Deus da qual homens e mulheres de todas as eras e etnias são portadores. Como ressalta o teólogo britânico John Stott:

A COSMOVISÃO CRISTÃ E A DIGNIDADE HUMANA | 33

É a imagem divina que há no homem que lhe dá uma dignidade intrínseca, valor que pertence a todos os seres humanos pela criação, sem distinção de raça, religião, cor, cultura, classe social, sexo ou idade. Por causa da dignidade inerente a toda pessoa, como ser semelhante a Deus, ele deve ser respeitado e servido, e na verdade amado (Lv 19.18; Lc 6.27-35), e não explorado. Só quando apreendemos essa doutrina bíblica fundamental, começaremos a ver os males, por exemplo, da discriminação racial e do preconceito racial. Isso tudo constitui ofensa à dignidade humana e, portanto, ao Deus a cuja imagem o homem foi feito.[5]

A transgressão moral que Tiago combate, portanto, está entre as que mais distanciam o homem do comportamento baseado nas implicações morais da doutrina bíblica sobre o ser humano.

Uma das grandes dificuldades que tenho enfrentado nas favelas do Rio de Janeiro é ver essa dignidade presente em determinadas pessoas que, de tão desfiguradas por causa de seus vícios e ambivalências, quase nos impedem de enxergar por completo a nobreza do seu ser. Os viciados em *crack*, que povoam as comunidades pobres da cidade, estão entre os que mais demandaram de mim a necessidade de remeter minha mente a essa verdade central do cristianismo, a fim de não tratá-los como se não fossem humanos. Jamais me sairão da memória cenas como as de homens e mulheres aprisionados pela dependência química, andando por becos escuros, carregando sobre os ombros sacos gigantescos com latas de refrigerante, escarafunchando o lixo da favela, levando seus trocados amassados para comprar droga na boca de fumo.

Lembro-me de dona Veruska, viciada em *crack*, que vivia acampada num barraco na entrada da favela Mandela.

Sem dentes, ela era pura pele e osso. Aquela senhora conta que, após tragédias pessoais, enveredou pelo caminho da dependência química. Estabelecemos o seguinte diálogo em um vídeo feito por mim e divulgado pelo jornal O Globo, no qual a entrevisto a fim de dar visibilidade ao drama dos dependentes químicos de *crack*:

— Dona Veruska, a senhora não pensa em largar a droga?
— Eu penso, mas é muito maldita essa droga, entendeu? Quanto mais a gente usa, mais a gente quer.
— O que a gente poderia fazer pela senhora para ajudá-la?
— Eu acho que, se ganhasse uma casa no dia de hoje, eu nunca mais ia usar essa droga, porque o que mais quero é ter um lar.
— A senhora não teme que o consumo dessa droga leve a senhora à morte?
— Leva nada [*começa a chorar*]. O que leva à morte é desgosto, é sofrimento, é aborrecimento, essas coisas assim.
— A senhora usa quantas vezes por dia?
— Eu fumo para deitar e acordo para fumar.[6]

A maior tentação que podemos sentir ao entrar num barraco daquele e deparar com um ser humano tão visivelmente desfigurado é não enxergá-lo, deixar de vê-lo como gente, ignorar sua dor, nivelar seu sofrimento ao dos animais. Vendo o vídeo novamente a fim de escrever este livro, pergunto a mim mesmo se naquele dia tive clareza de que estava diante de alguém que fora criado à imagem de Deus e que por isso vale mais que pássaros e árvores.

Temos o dever de ser coerentes com a doutrina onde ela é mais importante e, ao mesmo tempo, mais difícil de ser aplicada. Por isso, precisamos amar o homem quando sua condição nos leva a desconsiderá-lo, e tratá-lo com respeito quando a cultura nos conduz a menosprezá-lo. É de extrema necessidade termos sempre em mente, ao conversarmos com quem quer que seja, que estamos diante de um ser cuja vida é preciosa para o seu Criador.

O principal fundamento deste livro é a *Imago Dei* que o homem carrega, isto é, a imagem de Deus que temos em nós. Seria maravilhoso se protegêssemos a vida de cada ser humano com o mesmo cuidado que fazemos com as obras de arte nos grandes museus do mundo. Acontece que, para muitos, alguém entrar no Museu do Louvre, em Paris, e passar a faca no quadro da Monalisa causaria mais comoção que a cena de uma criança morrendo de fome na África. A obra de arte é expressão inanimada da alma do artista; já o ser humano é revelação viva do ser de Deus. Um quadro rasgado nunca me perguntará: por que me destrói?

CAPÍTULO 2

A Igreja e os desiguais

Tiago escreveu: "Suponham que na reunião de vocês entre um homem com anel de ouro e roupas finas..." (2.2). Ou, conforme outra tradução da Bíblia: "Se, portanto, entrar na vossa sinagoga algum homem com anéis de ouro nos dedos, em trajos de luxo..." (RA). A meu ver, a alma do cristianismo é inteiramente revelada nessa conjunção: *portanto*! Ela estabelece nessa passagem a conexão entre os versículos 1 e 2. Se no primeiro versículo de Tiago 2.1-7 temos doutrina, isto é, há uma verdade declarada, no segundo temos a aplicação da doutrina, isto é, a verdade aplicada. É impossível na fé cristã separar o pensamento da ação, a verdade da prática, o pressuposto intelectual da consequência ética. O comportamento cristão é inteligente. O discípulo de Cristo tem sempre o que dizer para si mesmo quando se vê no centro da luta pela justiça e pela proclamação do evangelho. Ele sabe por que deve permanecer no seu posto. Como escreveu o teólogo Martyn Lloyd-Jones:

O primeiro grande motivo para o viver cristão é intelectual; começa pela mente. Os cristãos não vivem meramente segundo os seus sentimentos e impulsos; são governados por seu entendimento da verdade. Eles sabem quem são, e compreendem que devem comportar-se de acordo com o que são.[1]

Em uma viagem que fiz a cidades palestinas, em Israel, conversei com um missionário cristão que atua em algumas delas. Havíamos acabado de conversar com um casal muçulmano, que nos tratara de modo bastante cordial, quando o missionário me disse:

— Não vejo necessidade de converter esse casal, levando-o a deixar o islamismo e abraçar o cristianismo.

Ao que respondi:

— Eu posso passar vinte anos me relacionando com eles, tomando café, conforme acabamos de fazer em sua casa, ainda que eles não se tornem cristãos. Mas jamais cesssarei de orar e fazer o que estiver ao meu alcance para levá-los a Cristo. Isso por causa da singularidade da nossa fé; pois, se é verdade que Cristo deu sua vida por nós na cruz, essa história tem de ser contada. Ela revela o Deus de inigualável beleza e chama o homem a viver uma liberdade jamais encontrada em sistema religioso algum. É a beleza singular dessa mensagem que me move a proclamá-la.

Em outra conversa, em Basileia, Suíça, com um dirigente do Comitê Olímpico da Alemanha, falei sobre a relação do cristianismo com o trabalho do Rio de Paz. Ele comentou que soubera que sou pastor. Ao que lhe respondi:

— Eu sou cristão. Não sou cristão nominal. Tive uma experiência com Cristo aos 20 anos. Não consigo viver sem esperança. Sem o evangelho, não estaria aqui conversando com você e falando sobre justiça social. Não teria força para lutar. O cristianismo rege todas as nossas ações. É por isso que nossas manifestações não são violentas e respeitamos as autoridades públicas. Nosso movimento, contudo, trabalha com base no pluralismo democrático. Temos entre nós pessoas com as mais diferentes visões de mundo.

O cristianismo sempre exigirá do cristão dois movimentos de mente e coração: primeiro, levar a doutrina que ele professa a ser encarnada; segundo, buscar o fundamento intelectual de sua vida no evangelho de Cristo.

É um desserviço à causa do evangelho afirmar que doutrina pouco importa. Procure encontrar esse tipo de cristianismo nas cartas do Novo Testamento; você jamais o verá. Em todo o tempo, vemos a doutrina ser declarada, defendida e aplicada. Admito que a Igreja possa pôr na boca de Deus o que ele nunca falou. É fato, contudo, que Deus tem falado. As Escrituras apresentam Deus sempre levando o homem a crer e amar; pensar e sentir; conhecer a verdade e praticar a verdade. Coloque uma cunha entre a fé e o amor e você torna o cristianismo obsoleto, resumindo-o a uma mera pregação de moralidade — não diferente daquilo que é apregoado por outros sistemas de pensamento.

A grandeza do cristianismo, porém, consiste nos motivos que o evangelho de Cristo apresenta para a ação, o que transforma o simples ato de dar um copo de água a alguém em um serviço a Deus. Uma coisa é você protestar nas ruas visando ao aperfeiçoamento da democracia do país; outra é você fazer o mesmo por amar a Deus e ter o homem como precioso aos olhos do seu Criador. O cristianismo conduz, ainda, o homem a fazer de sua vida profissional um culto ao ser mais amável do universo. O que pode ser comparado ao ato de servir a um ser eterno, pessoal, amabilíssimo, santo, justo e que galardoa a quem cumpre, em amor e fé, a sua vontade? Quem encontra mais motivação para viver: o indivíduo que tem apenas esta vida ou aquele que, por ter a vida eterna, dedica-se, em serviço ao próximo, também a esta vida? Encontrar sentido para o que você faz, impulsionado pela crença de que viverá após a morte na memória dos homens, é muito diferente de crer que a vida após o túmulo é um fato e que conta para ela o que você faz em sua passagem por este planeta. Nossas obras nos acompanham. Elas não podem comprar o amor de Deus; contudo, mostram quanto levamos a sério nesta vida o amor dele por nós.

Que desonestidade intelectual é negar o papel da doutrina na fé cristã! Você pode até não gostar de doutrina e declarar que ela divide os homens e apequena o pensamento. Mas isso é difícil de entender, porque, na realidade, o verdadeiro sistema de verdade teológica honra o homem como ser racional, expande a mente e jamais causa cisão se aplicado na presença do amor. O que não se pode é dizer, por ser mais incompreensível ainda, que não se encontra doutrina no Antigo e no Novo Testamentos. O que levou milhões de cristãos, nos últimos dois mil anos, a cruzar montanhas, florestas e mares a fim de levar a mensagem da justiça do reino de Cristo a povos de todos os continentes não foi a imposição moral cega, mas, isto sim, a crença em verdades que eles tiveram como absolutamente claras e que os comoveram até o fundo da alma.

Tiago, como bom mestre, aplica a doutrina e apresenta um exemplo concreto do pecado que está condenando, que é incompatível com a mensagem central do evangelho. Ele descreve a entrada no local de culto de duas pessoas que vivem vidas completamente opostas: "Suponham que na reunião de vocês entre um homem com anel de ouro e roupas finas, e também entre um pobre com roupas velhas e sujas" (v. 2). A grande questão é: como lidar com o fenômeno? Pessoas podem procurar a igreja pelos mais diferentes motivos, com base em realidades de vida totalmente diversas. Ricos e pobres podem entrar no templo buscando a mesma coisa. Dada a natureza que lhes é comum, ambos podem querer ouvir a pregação e ser objeto de oração por estarem em busca de perdão, paz ou direção para a vida. É capaz que o rico tenha ido ali porque procura aquilo que descobriu que o dinheiro não pode oferecer. O pobre, surpreendentemente, pode estar procurando apenas o pão, sem saber o que significa tê-lo em excesso, mas com escassez de paz. O rico pode estar em busca de respeitabilidade, apoio político e viabilização de seus negócios. O pobre, a despeito do que a vida lhe negou, pode estar procurando tanto a solidariedade humana quanto Jesus, o Pão da Vida.

O equívoco dos julgamentos intuitivos baseados em preconceito de classe

Quem é capaz de fazer com justiça juízos intuitivos sobre a condição espiritual de quem entra no templo? Não está em nosso poder saber de antemão se estamos tanto diante de um rico em busca de transformação quanto perante um pobre em busca apenas de socorro material — ou o contrário; se estamos tanto diante do rico ganancioso que quer usar a igreja quanto perante o pobre quebrantado que só quer que a igreja seja usada por Deus em sua vida. O que está em nosso poder é tratar ambos com equidade, sem fazer distinção entre eles com base em aparência e posição social. Isso, contudo, não é tão fácil como parece, e cada um de nós, ao fazer um exame de sua vida pregressa, chegará à conclusão de que o pecado de fazer acepção de pessoas é prática corrente entre os homens. Por quê? Pois os olhos nos enganam, e o coração nos trai.

Observe como Tiago descreve o rico: "homem com anel de ouro e roupas finas". Por que ele está vestido dessa

CONVULSÃO PROTESTANTE

maneira? Visibilidade. Esse é um desejo que une todos os seres humanos. É da natureza humana querer ser visto, amado, honrado, admirado. Isso é de tal maneira arraigado em nós que, tão logo tenhamos recursos financeiros, trataremos de revestir nossa vida de glória a fim de sermos vistos. Esse sentimento une políticos corruptos, empresários gananciosos, magistrados inescrupulosos, policiais da banda podre, traficantes e até mesmo líderes religiosos. Todos estão em busca da mesma coisa: fugir do anonimato, deixar de ser invisível, causar boa impressão.

O problema é que os anéis e as roupas finas estão no corpo de um homem. Não é tarefa fácil bancar essa empreitada. Quem é esse ser que se cobriu de joias? Alguém que habita num corpo que a cada dia murcha, que vive num mundo no qual expectativas culturalmente condicionadas de realização pessoal são muitas vezes irreais e que se encontra cercado de gente que o faz sentir-se inferior. Logo, essa é uma busca que não tem fim e, assim, gera uma corrida por poder, fama, mansões, carros de luxo, cirurgias plásticas, relógios de ouro e outras aquisições.

A raiz dos problemas que enfrentamos na segurança pública do Brasil é, justamente, essa busca por visibilidade. Lembro-me de haver conversado, no período em que trabalhávamos nas carceragens da Polícia Civil do Rio de Janeiro, com o chefe da ala reservada para uma facção criminosa. Perguntei a ele:

— A vida de vocês é tão curta e cheia de incerteza; por que você se dedica ao tráfico de drogas?

Ele me respondeu, com rara franqueza:

— Este mundo me dá as três coisas que mais amo na vida. Primeiro, mulher...

A minha experiência atuando em favelas levou-me à conclusão de que há um componente sexual nos problemas que enfrentamos na segurança pública. Rapazes sabem que, com um fuzil nas mãos, levarão com mais facilidade mulheres para a cama. Recordo-me de um morador de comunidade me haver confessado que, apesar de não ter envolvimento direto com o tráfico de drogas, tinha amigos na facção que dominava a favela onde fora criado. Ele pegava emprestado deles um fuzil nas festas que varavam a madrugada, pois isso o ajudava a conquistar as mulheres mais belas, muitas das quais moradoras de bairros nobres do Rio de Janeiro. Mas, retornando ao meu diálogo com aquele chefe do tráfico, ele prosseguiu:

— ... em segundo lugar, esta vida me dá dinheiro, que me permite comprar as roupas que amo. E, em terceiro lugar, poder. A vida no crime dá muito poder e, quanto mais poder você tem, mais quer ter.

Lembro-me que fiquei atônito. Fiquei em pé e lhe disse:

— Que poder? Não somos senhores nem do nosso corpo!

Concordo com o antropólogo Luiz Eduardo Soares, que tem ponto de vista semelhante ao meu sobre parte das causas dos problemas que enfrentamos no campo da segurança pública:

O crime não é um desdobramento natural, que flui de sua fonte socioeconômica, automaticamente. Como os seres humanos não são autômatos — isto é, mesmo condicionados, mantêm algum grau de liberdade —, o salto das condições de possibilidade ao desfecho trágico depende da impulsão do indivíduo. A opção de saltar pode estar presente, em determinado contexto; mas não o salto. O salto não é um imperativo derivado da necessidade, assim como não se matam pessoas, em escala industrial, para matar a fome física. Há uma fonte mais funda que a fome: por reconhecimento, valorização, acolhimento, visibilidade, significado. O objeto cobiçado (o tênis de marca, por exemplo) não é, em primeiro lugar, um item de utilidade prática, mas um fetiche de distinção e poder, um símbolo de valorização, um alimento da auto-estima, um passaporte para a admissão em um grupo social, que alimente o espírito de seus membros com identidade e apreço.[2]

Depois de descrever o rico, Tiago descreve o outro homem que chega à sinagoga: "um pobre com roupas velhas e sujas". Sem os recursos deste mundo para poder viver, aquele indivíduo se veste com o que tem. Nesse caso, a vestimenta não está à altura do seu ser, que carrega a insígnia do seu Criador. Forçado a viver num ambiente em que anel de ouro e roupas finas são valorizados, ele luta contra o drama da invisibilidade e, certamente, muito mais que isso, luta para simplesmente viver. Qual a causa de sua pobreza? *Homem pobre*. Pense no substantivo: *homem*. Criado à imagem e semelhança de Deus. Pense no adjetivo: *pobre*. Privado dos recursos desta vida. O que significa ser homem? Ser capaz de pensar e amar. O que significa ser pobre? Estar privado da liberdade de atuar na sociedade na plenitude das qualidades do seu ser. O que os dois conceitos juntos representam para o Criador? Ver alguém que carrega a beleza do ser divino impedido de viver plenamente. Qual é o seu sentido para quem é homem pobre? Sentir o drama da invisibilidade.

Recordo-me de um encontro que tive com um usuário de *crack*, numa noite escura, na favela do Jacarezinho, no Rio de Janeiro. Brincando, fiz um elogio à camisa que ele usava, que estampava o escudo do time de futebol para o qual torço, o Botafogo. Ao que ele me respondeu: "Mas eu sou Vasco". Essa história jamais saiu da minha cabeça, por me parecer profundamente reveladora da condição dos miseráveis deste mundo. Quem conhece a paixão dos brasileiros em geral pelo futebol sabe que um torcedor de um clube só vestiria a camisa de outro time em situação análoga à daquele rapaz. Isso mostra, por mais que essa história se pareça com uma piada, que a miséria leva o pobre a agir de formas que o contrariam e ferem sua dignidade. Tem gente que acha que toda família pobre ama o feio, o sujo, o desorganizado.

Raciocínios equivocados

Prosseguindo a leitura de Tiago 2.1-7, vemos que o autor começa a descrever uma possível resposta da Igreja à presença simultânea do rico e do pobre no templo. Lá estamos nós, você e eu, diante de duas pessoas que vivem em mundos opostos. Um chega a pé, enquanto o outro desce pela porta de trás de seu carro, aberta pelo motorista particular. O que pode acontecer conosco quando nos vemos diante da visão desses dois seres entrando ao mesmo tempo no santuário?

Tiago afirma que é possível tratarmos o rico com extrema receptividade: "Se vocês derem atenção especial ao homem que está vestido com roupas finas e disserem: 'Aqui está um lugar apropriado para o senhor...'". O pastor puritano inglês Thomas Manton nos chama a atenção, em seu comentário sobre o livro de Tiago, para o fato de a palavra grega *epiblepo*, traduzida em português por "dar atenção especial", significa "olhar e observar com alguma admiração e especial reverência".[3] Por que essa admiração, essa bajulação? O que pode levar pessoas piedosas a se deixar fascinar por um mortal igual a qualquer outro? Há muitos motivos. Para citar alguns, as pessoas que prestam tamanha deferência a alguém somente por sua aparência abastada podem, consciente ou inconscientemente, raciocinar da seguinte forma:

1. *Estamos diante de alguém que chegou aonde chegou por ser um favorecido de Deus.* É possível que a riqueza seja interpretada como prova de favorecimento divino. A igreja estaria, portanto, perante alguém digno de ser honrado em razão dos sinais exteriores da sua escolha.

2. *Estamos diante de alguém que tem muito a nos ensinar, uma vez que jamais teria chegado aonde chegou não fosse por sua capacidade excepcional.* Por mais frágil que uma avaliação como essa possa ser, há uma tendência na maioria das pessoas a considerar o rico alguém dotado de talentos especiais.

3. *Estamos diante de alguém que pode viabilizar nossos projetos, uma verdadeira resposta de Deus para as necessidades financeiras da igreja.* Um curto-circuito pode ocorrer na cabeça do líder que, embora estimule o doente a procurar pela fé a cura em Deus, demonstra incapacidade de usar essa mesma fé para manter a igreja, o que o leva a depender mais do rico que da providência divina.

4. *Estamos diante de alguém que faz parte do público-alvo da igreja.* Pode acontecer de a igreja ter abraçado o mito de que há igrejas que têm um chamado divino exclusivo para o rico, e que é melhor trabalhar com grupos homogêneos quando se quer plantar novas igrejas e fazê-las crescer. O pensamento, nesse caso, é: "Ricos sentem-se bem na presença de ricos. Além disso, há pastor que não sabe pregar para pobres".

5. *Estamos diante de alguém que pode nos proporcionar prazeres que de outra forma não desfrutaríamos.*

A IGREJA E OS DESIGUAIS | **47**

Quem sabe não nos convida a fazer uma viagem ao exterior, nos chama para passar dias em sua casa de praia ou nos leva a restaurantes sofisticados? É difícil entender como pessoas podem jogar seu tempo fora, privando-se de sua liberdade, sendo forçada a viver ao lado de gente oca, e tudo isso por tão pouco. Ninguém pode dizer que o rico tem de ser necessariamente superficial e materialista, mas todos sabemos de pessoas que se privaram da sabedoria dos humildes a fim de andar na companhia de quem só é rico na conta bancária.

Esses são apenas cinco dos muitos exemplos que poderíamos citar. Algumas dessas motivações, aparentemente, são mais nobres que outras, mas estão mascaradas por falsa virtude e compromisso espúrio com a causa de Deus. Ninguém tem energia moral suficiente para dizer a si mesmo que é canalha e usa a religião para ascender socialmente.

O sábio teólogo Tiago prossegue em sua exposição. Logo após imaginar o tratamento privilegiado oferecido ao rico, volta as atenções para o pobre. Ele afirma que motivos opostos aos que nos levaram a nos curvar diante do rico podem nos conduzir a fazer o pobre se curvar diante de nós: "... mas disserem ao pobre: 'Você, fique em pé ali', ou: 'Sente-se no chão, junto ao estrado onde ponho os meus pés'". Podemos, ainda que inconscientemente, julgar da seguinte forma a vida dos miseráveis da terra que procuram a igreja:

1. *Estamos diante de alguém que não pode ser objeto do amor de Deus, uma vez que o Senhor jamais deixaria um filho seu em tamanho estado de penúria.* Há gente que crê nisso, apesar de toda a evidência contrária, tanto por parte da Bíblia quanto por parte da realidade cotidiana.

2. *Estamos diante de alguém que não soube aproveitar as oportunidades que teve. É um fracassado, um preguiçoso.* Pessoas podem responsabilizar o pobre pela pobreza. Por esse pensamento, o indivíduo vive em estado de penúria em razão de alguma falha de caráter, pois não seria possível tornar-se pobre de outra maneira.

3. *Estamos diante de alguém que só trará problema para nossa igreja. Vamos ter de tirar dinheiro de missões para ajudá-lo financeiramente. Seu odor vai afastar os demais membros, que não estão acostumados a lidar com esse tipo de gente. Caso comecem a chegar muitos desses, só nos resta como alternativa criar um culto só para eles.* Há igrejas que não estão preparadas, nem querem estar, para lidar com os miseráveis deste mundo.

4. *Estamos diante de alguém que não faz parte do público-alvo da igreja. Deus nos chamou para as classes média e alta, a fim de que conquistemos para Cristo pessoas estratégicas na sociedade. Gastar tempo com essa gente é fugir de nossa vocação.* Tem gente que declara abertamente esse desvario.

5. *Estamos diante de alguém que não tem nada a nos oferecer, e ainda corremos o risco de que ele solicite que visitemos seu barraco, um lugar infestado de ratazanas e sob o domínio de criminosos.* Há pessoas que seguem Cristo apenas até o momento em que ele entra na casa do pobre.

As razões do desamor podem ser bastante multiplicadas. As injustiças que praticamos, na maioria das vezes, não têm como fundamento problemas de natureza intelectual. O coração é a sede da heresia, que vira teologia. Essa, por sua vez, justifica o mal. O resultado é que nosso egoísmo ou preconceito contamina todas as nossas ações, até quando nos dispomos a fazer alguma coisa supostamente para a glória de Deus.

A resposta bíblica para o preconceito

Qual é o ponto de vista bíblico sobre uma igreja envolvida em tamanha contradição? O que o pensamento cristão tem a dizer sobre quem trata pessoas iguais em dignidade diante de Deus — embora arbitrariamente diferentes em dignidade diante dos homens —, como se o veredito humano fosse mais importante que o divino? A resposta não poderia ser mais enfática: "não estarão fazendo discriminação, fazendo julgamentos com critérios errados?". Tiago condena com rigor prática pecaminosa tão contrária ao espírito cristão e à forma cristã de ver a vida. Essas duas perguntas têm respostas óbvias. Fazer discriminação tem o sentido de exercer julgamento entre duas partes:

> O verbo tem numerosos significados, mas aqui o melhor parece ser "fazer distinção entre", "fazer diferença entre". O advérbio de negação usado nesta pergunta espera uma resposta positiva, e as palavras poderiam ser traduzidas "vocês estão diferenciando as pessoas, não é?".[4]

O membro de uma comunidade cristã, portanto, é apresentado fazendo uma avaliação interna que se exterioriza. Com base em categorias de pensamento não cristãs, ele avalia o pobre e o rico. Em outras palavras, ele traça um veredicto sobre a dignidade de ambos e decide o melhor tratamento a ser dado. A igreja é apresentada, assim, honrando um e menosprezando outro. Com isso, reproduz no seu interior o mesmo tipo de comportamento encontrado do lado de fora.

Recordo-me do dia em que levamos a favela para a praia de Copacabana, no Rio de Janeiro. O que fizemos foi tentar reproduzir o mais fielmente possível o ambiente de uma comunidade carente. Assim, montamos barracos nas areias, com vala negra, ratazana e um corpo estendido no chão. Nosso objetivo era chamar atenção para o drama do favelado. No meio da manifestação, chegou ao calçadão uma senhora que passou a elogiar o que estávamos fazendo, mas pelo motivo oposto ao que nos levou a protestar. Ela dizia: "Isso mesmo, daqui a pouco essa gente estará aqui morando na praia". Ela julgava que estávamos protestando contra a presença do pobre numa área considerada nobre da cidade.

A Igreja não pode afirmar que todos os homens foram criados à imagem de Deus e, na prática do trato com aqueles que afluem para suas dependências, negar essa mesma doutrina. Não há ortodoxia que resista à recusa da Igreja de viver à luz do que declara ser verdadeiro. Haverá sempre a tendência de fechar as portas para a próxima geração, que sairá em busca de coerência em algum outro lugar. Alguns dos mais ferrenhos defensores da verdadeira doutrina estão entre aqueles que, pelo modo como lidam com o pobre, mais a negam. Vejo em nossas igrejas cristãos mais preocupados com o suposto assistencialismo que vicia do que com a fome que precisa ser saciada. Por que pessoas demonstram mais preocupação com os possíveis exageros do amor do que com a falta dele?

Alguns anos atrás, minha mulher, minha filha e eu ficamos hospedados numa mansão nos Estados Unidos. Amigos de amigos nossos nos cederam a casa, localizada de frente para um belíssimo lago. Não podíamos ter sido tratados melhor. Jantares e almoços deliciosos. Conversas sobre nossa fé comum em Cristo. Confissões íntimas. Lembro-me de um jantar organizado por nossos anfitriões para o qual convidaram parentes e amigos. Na ocasião, a esposa tomou a palavra e, com emoção, falou sobre quanto nossa presença em seu lar os estava abençoando. Naquela casa, vivi uma experiência importante, que marcou para sempre minha vida e me ajudou a ser mais tolerante com pessoas que professam pontos de vista político-ideológicos diferentes dos meus.

Estávamos conversando sobre os problemas sociais do Brasil e sobre quanto minha experiência na favela me levou a ver a importância de um Estado mais presente na vida do pobre, na perspectiva de criar oportunidades iguais. Para minha surpresa, aquela agradável irmã em Cristo, que todos os dias pela manhã fazia sua hora devocional, expressou que discordava do que eu dizia, defendendo o Estado mínimo, que garante segurança pública e abre estradas, mas que não deve ter como meta socorrer o pobre. Eu respondi que, na minha experiência de campo, ficou claro para mim que o pobre não pode depender da misericórdia incerta da sociedade e da Igreja, e que o Estado tem o dever de prover condições de vida que propiciem ao necessitado tornar-se o condutor da própria vida. Afinal, é difícil transcender a pobreza quando se nasce nela e não se dispõe de recursos para prosperar.

Parti amando aquela família e profundamente grato por tudo que fizeram por nós, pois vi entre aqueles irmãos uma bondade genuína. Entendi que não posso pegar os que pensam nos moldes da ideologia da direita conservadora americana, tão presente no meio evangélico brasileiro, e romper a comunhão com eles. É meu dever, contudo, lhes dizer: "Vocês precisam ir lá. Conhecer a pobreza de perto. Passar pela experiência de campo".

Tiago não tinha alternativa. O mal deveria ser extirpado. Quando tamanha contradição como essa ocorre, ela tende a se disseminar e influenciar o modo como os cristãos se relacionam com os demais. Isso, por exemplo, se refletirá em como a Igreja lida com o poder econômico e a opressão sofrida pelo pobre. O sociólogo Peter L. Berger fez uma crítica que deveria levar todos nós a pensar, orar e chorar. Ele fala sobre essa seletividade moral da Igreja, caracterizada pela campanha contra certos tipos de pecado, enquanto imensas transgressões, bem mais graves, passam despercebidas. O texto é extenso, mas, dada a sua força, vale a pena ser apresentado na íntegra:

> O fundamentalismo protestante, conquanto obcecado pela ideia de pecado, tem um conceito curiosamente limitado de sua extensão. Os pregadores revivalistas que vociferam contra a perversidade do mundo atêm-se invariavelmente numa gama um tanto limitada de transgressões morais — fornicação, embriaguez, dança, jogo, pragas. Na verdade, dão tanta ênfase à primeira dessas transgressões, que na linguagem comum do moralismo protestante o termo "pecado" é quase sinônimo do termo mais específico "ofensa sexual". Diga-se o que se disser a respeito desse rol de atos perniciosos, todos eles têm em comum seu caráter essencialmente privado. Na verdade, se um pregador revivalista chega a mencionar questões públicas, será geralmente em termos de corrupção privada dos detentores de cargos públicos. As autoridades do governo roubam, o que é mau. Também fornicam, bebem e jogam, o que presumivelmente ainda é pior. Ora, a limitação do conceito de ética cristã a delitos pessoais tem funções óbvias numa sociedade cujas organizações sociais fundamentais são dúbias, para se dizer o mínimo, quando confrontadas com certos princípios do Novo Testamento e com o credo igualitário da nação que nele acredita ter suas raízes. [...] O conceito privado de moralidade do fundamentalismo protestante concentra atenção nas áreas de conduta que são irrelevantes para

a manutenção do sistema social, e desvia a atenção daquelas áreas onde uma inspeção ética criaria tensões para o perfeito funcionamento do sistema.[5]

Tiago faz sua segunda indagação: "... fazendo julgamentos com critérios errados?". Ao reforçar a invisibilidade do pobre, alguns cristãos do primeiro século comportavam-se como juízes. Faziam avaliações sobre a dignidade dos indivíduos com base em preconceito de classe, o que determinava sua forma de se relacionar com eles. Não há como negar o fato de que, por natureza, tendemos a avaliar as pessoas. O que não é em si equívoco a ser combatido pela Igreja; afinal, a vida se tornaria inviável se não exercêssemos a faculdade do juízo racional não preconceituoso sobre a qualidade moral dos seres humanos. É assim que escolhemos com quem casamos, em quem votamos e a quem damos o direito de pastorear. Os próprios apóstolos aconselharam a Igreja a ser criteriosa na hora de escolher quem deveria cuidar dos pobres das comunidades cristãs do primeiro século: "Irmãos, escolham entre vocês sete homens de bom testemunho, cheios do Espírito e de sabedoria. Passaremos a eles essa tarefa" (At 6.3). Isso evidencia que não havia homogeneidade na Igreja, e nunca haverá. Como os membros poderiam fazer uma seleção como essa se a eles não fosse permitido reconhecer a excelência do caráter de determinados discípulos, que se destacavam dos demais?

O apóstolo Paulo, ao escrever a carta à igreja de Filipos, fala sobre a beleza de testemunho de um homem chamado Epafrodito. Nesse contexto, ele faz a seguinte recomendação: "Peço que vocês o recebam no Senhor com grande alegria e honrem homens como este, porque ele quase morreu por amor à causa de Cristo, arriscando a vida para suprir a ajuda que vocês não me podiam dar" (Fp 2.29-30). Torna-se evidente, portanto, que, quanto mais excelente uma pessoa é e mais devedores somos a ela, maior a nossa obrigação de honrá-la e amá-la. Não reconhecer seu mérito é o inverso do pecado que Tiago combate.

O erro a ser evitado, tão combatido e denunciado, é o juízo a partir de um pensamento perverso. Sabemos que há inúmeras formas de julgamentos maldosos. Podemos rebaixar pessoas que discordam de nós, que cometeram deslizes que não depõem contra o todo de sua vida, que são de descendência racial de povos considerados por nós inferiores, que pensam de modo diferente do nosso em questões periféricas. Podemos cometer o gravíssimo erro de fazer análises intuitivas sobre o estado de alma das pessoas, que nos levam de antemão a considerar certos indivíduos pouco confiáveis. A lista é interminável. Como escreveu o padre Antônio Vieira: "Se os olhos veem com amor, o corvo é branco; se com ódio, o cisne é negro; se com amor, o demônio é formoso; se com ódio, o anjo é feio; se com amor, o pigmeu é gigante".[6]

CAPÍTULO 3

Causas da pobreza e da riqueza

TIAGO MOSTRA QUE OS preconceitos de classe social são perversos. Seu caráter maligno resulta do ato de fundamentar respeito e honra na areia movediça do sucesso econômico. A busca de respostas para duas perguntas básicas poderá nos ajudar a mensurar a fragilidade da base desse tipo de julgamento, lamentavelmente tão presente nas relações humanas: 1) Por que pessoas enriquecem? 2) Qual é a causa da pobreza entre os homens?

Pessoas podem enriquecer por trabalhar duro, buscar a excelência no que fazem, respeitar contratos e agir com integridade. Não é da natureza do cristianismo deixar de reconhecer e premiar o mérito. Fazê-lo não significa necessariamente criar um sistema de recompensa sem limite, como expressão do reconhecimento da propensão humana ao egoísmo. Tampouco significa dizer que isso é bom para o sistema e aumenta a produção e a qualidade dos produtos. É questão de justiça. É péssimo tanto para a economia quanto para a justiça suprimir das relações de trabalho a diferença entre industriosidade e preguiça, esmero e displicência, pontualidade e impontualidade.

Ao citar o sociólogo Max Weber, o historiador econômico David Landes traça um perfil do protestante típico do passado, demonstrando quanto sua relação com o

CONVULSÃO PROTESTANTE

trabalho favoreceu a criação de uma cultura que produziu riqueza e desenvolvimento. E, ressalto, ninguém deve se sentir culpado por isso.

> A tese de Weber é que o protestantismo produziu um novo tipo de homem de negócios, um diferente tipo de pessoa, que tinha por objetivo viver e trabalhar de um certo modo. Esse modo é que era importante, e a riqueza seria, quando muito, um subproduto. Um bom calvinista diria ser isso o que estava errado com a Espanha: a riqueza fácil, a fortuna obtida sem esforço, imerecida. Compare-se as atitudes protestante e católica em relação aos jogos de azar no começo do período moderno. Ambas o condenaram, mas os católicos condenaram-nos porque uma pessoa poderia perder (perderia) e nenhuma pessoa responsável comprometeria o seu bem-estar e o de outros dessa maneira. Os protestantes, por outro lado, condenaram os jogos porque uma pessoa poderia ganhar, e isso seria ruim para o seu caráter.[1]

Um pressuposto de todas as constituições modernas é o direito de propriedade. Um conceito de justiça, portanto, subjaz à própria organização do estado democrático de direito. Somos dignos de nos apropriar daquilo pelo que lutamos, em que investimos tempo e trabalho, e prover meios para sua proteção. Como diz o filósofo Jean-Jacques Rousseau, ao falar sobre o fundamento do pacto social:

> Encontrar uma forma de associação que defenda e proteja com toda a força comum a pessoa e os bens de cada associado e pela qual cada um se uniria a todos, obedecendo, entretanto, só a si mesmo e permanecendo tão livre quanto antes. Tal o problema fundamental ao qual o contrato social fornece a solução.[2]

CAUSAS DA POBREZA E DA RIQUEZA | **57**

É justo que esses bens sejam mais que o apenas necessário para viver. Como diz o sábio rei Salomão no livro de Provérbios: "As mãos preguiçosas empobrecem o homem, porém as mãos diligentes lhe trazem riqueza" (Pv 10.4). Claro que existem muitos outros modos pelos quais homens e mulheres podem enriquecer. Eles podem, por exemplo, herdar a riqueza, o que não significa de forma alguma demérito pessoal. É possível que o herdeiro seja alguém que soube manter e expandir os negócios da família, o que é excelente para ele e para a sociedade. Outra possibilidade é ele apenas manter o que poderia ter sido ampliado e gerar mais riqueza, melhorando a qualidade dos produtos e expandindo a oferta de trabalho. Por outro lado, ele pode ser um administrador medíocre de riqueza que não lhe custou nada, caminhando a passos largos para a bancarrota.

O rico

Voltemos ao templo da passagem proposta por Tiago e pensemos na chegada à igreja desse homem rico sem calos nas mãos, alvo de reverências dos membros da congregação. O sujeito pode ser abastado porque é explorador ou corrupto, uma ave de rapina, uma alma insaciável na busca por dinheiro, sexo e poder. Tiago previne a igreja do risco que corre ao perder tempo com ele e, assim, negligenciar o cuidado com o pobre. Numa contextualização para nossos dias, vemos congregações que cedem espaço no púlpito para homens impiedosos como esse falarem somente por conta de seu poder econômico, ou os elevam a cargos de prestígio dentro da igreja local, sem perceber que, com isso, arruínam o testemunho e diminuem a influência na sociedade. É inaceitável que uma igreja gaste muito tempo com gente complicada, arrogante, empedernida, que se recusa a permanecer na congregação se não alcançar a primazia, não obtiver atendimento exclusivo e receber a bênção do pastor sobre seus negócios escusos.

Muitas vezes, a insistência, em amor, pode levar-nos a ver mudanças surpreendentes na vida de homens e mulheres ricos possuidores de soberba quase intratável. Nessa passagem, contudo, Tiago alerta a Igreja quanto ao perigo de gastar tempo com gente como o jovem rico a quem o Senhor Jesus deixou partir, recusando-se a aceitá-lo como discípulo, porque o rapaz amava mais o dinheiro que a Deus e o próximo. Ele hoje seria objeto dos mais dedicados cuidados por parte de alguns pastores evangélicos brasileiros.

O reformador João Calvino condenou, em não poucas ocasiões, a exploração praticada pelo rico impiedoso contra o pobre, como muito bem nos traz à memória o teólogo Ronald Wallace:

> Ele [Calvino] chamou aqueles que extorquiam do pobre por meio de trabalho barato de sanguessugas, assassinos de um tipo pior que qualquer um daqueles que viviam fugindo pelas ruas. Ele nunca se cansava de criticar severamente aqueles que usavam do seu poder econômico para extrair dinheiro de outros para si mesmos. Ele expressa seu desânimo pelo fato de que, quando os preços estavam muito altos, os mercadores ricos podiam manter seus celeiros fechados, a fim de que eles se elevassem ainda mais para, então, cortarem a garganta dos pobres.[3]

Certa vez, encontrei um senador no aeroporto de Brasília, com quem mantive longa conversa enquanto aguardávamos a chegada de nosso voo e durante a viagem para o

Rio de Janeiro. Ele falou muito de suas frustrações como parlamentar. Disse-me: "Quando cheguei a Brasília, um político antigo me aconselhou, dizendo que ninguém no Brasil se elege sem o povo, mas ninguém se mantém no poder sem o capital. De fato, para se eleger são necessários cinco milhões de reais, divididos em notas de cinquenta, para serem distribuídas em comunidades pobres. O nosso país está nas mãos de cinco mil famílias ricas, que detêm mais de 60% da riqueza do Brasil. Elas mandam no Congresso Nacional. Você precisa se candidatar para ver como as coisas funcionam no nosso parlamento, sentar na cadeira em uma das reuniões e apenas observar como tudo é negociado. Estamos nas mãos do agronegócio, dos grandes grupos financeiros, dos bancos, das empreiteiras".

Chama a atenção de quem anda pelos corredores do Congresso Nacional a presença de lobistas que fazem o *lobby* do rico. Talvez tenha sido essa uma das razões pelas quais outro senador, Pedro Simon (PMDB), nos disse, no momento em que entregamos em suas mãos uma petição, com mais de um milhão e meio de assinaturas, pedindo que o senador Renan Calheiros (PMDB) não assumisse a presidência do Senado Federal: "Não esperem desse Congresso nada de dentro para fora. O que tivermos que fazer pelo país será de fora para dentro. Ele só trabalha sob pressão. A Lei da Ficha Limpa, por exemplo, foi aprovada aqui dentro por medo da população. Não saiam das ruas". Aquilo me fez ver a importância das manifestações de rua.

No auge das manifestações que tomaram conta do país em 2013, estive em Brasília, aproveitando essa oportunidade única de lutar pelos direitos do povo brasileiro. Podíamos observar o clima instaurado no Congresso. Havia muito medo da população nas ruas. Recordo-me de o senador Pedro Simon mais uma vez me dizer: "Eu nunca vi o Congresso Nacional trabalhar tanto. Este é o Congresso com que sempre sonhei".

Essa influência do poder econômico sobre a vida do país não se resume apenas à pressão que exerce sobre os três poderes da República. Ela atinge em cheio também a imprensa, tão importante para a manutenção da saúde democrática. Um editor de um grande jornal brasileiro, numa conversa que tivemos, admitiu algo que todos os brasileiros deveriam ouvir: "Antônio, você nunca vai ver meu jornal batendo no Bradesco ou no Itaú. Jamais verá uma série de reportagem intitulada, por exemplo, 'A farra dos bancos'. Só existe uma forma de publicarmos matérias negativas para os bancos: acontecer algo tão escandaloso a ponto de, caso não venhamos a dar a notícia, perdermos nosso maior patrimônio, que é a credibilidade". É certo que a imprensa não é só isso. Sou muito devedor a ela, tanto do ponto de vista da informação quanto do ponto de vista da cobertura das manifestações que realizamos. Democracia sem uma imprensa livre é inimaginável.

Relato tudo isso para ressaltar o fato de que a Igreja não pode honrar quem usa do poder econômico para corromper parlamentares, pautar a imprensa e explorar o pobre. Mais que isso. É preciso trazer à nossa memória o óbvio: riqueza nem sempre é fruto de trabalho árduo. A Igreja pode estar honrando pessoas sem caráter e incensando suas ações pecaminosas.

O pobre

E o pobre? O que falar sobre ele? Em todos os casos podemos afirmar que a pobreza é sempre resultado da responsabilidade pessoal? A Bíblia, apesar de falar muito sobre o amor que é devido ao necessitado, não trata a pobreza com o romantismo que elimina a culpa de quem desperdiçou as oportunidades que teve na vida.

Uma das causas da pobreza é a falha moral. Pessoas podem empobrecer por causa de uso de drogas, consumo de bebida alcoólica, falta de disciplina pessoal, fraqueza de caráter, acúmulo de dívidas, preguiça e tantas outras explicações em nada louváveis. A lista é longa, e a sabedoria bíblica trata do assunto: "Quem se entrega aos prazeres passará necessidade; quem se apega ao vinho e ao azeite jamais será rico" (Pv 21.17); "O preguiçoso morre de tanto desejar e de nunca pôr as mãos no trabalho" (Pv 21.25). Políticas públicas que visam a diminuir a desigualdade e movimentos dedicados a combater a injustiça social não podem perder de vista certos fatos que, embora não se apliquem a todos os casos, representam limites estabelecidos pelo próprio amor para o ato de ajudar alguém: tratar o pobre como vítima do sistema pode ser péssimo para a formação do seu caráter, pois o torna indolente e leva a uma apatia capaz de aprofundar sua miséria. Levar o necessitado a viver numa eterna dependência do Estado é um erro. Por trás dessa eterna benfeitoria com dinheiro público muitas vezes o que se escondem são objetivos eleitoreiros. Esse paternalismo estatal de forma leviana jamais emancipa o pobre; pelo contrário, o mantém dependente de projetos assistencialistas de governantes que apenas almejam se perpetuar no poder.

Estudiosos de programas de transferência de renda deveriam ter em mente a criação de portas de saída, a fim de que o pobre seja estimulado a ser autor da própria vida, o que representará sempre ganho valiosíssimo para sua autoestima e contribuição importante para o país. Imagine quanto a favela poderia enriquecer nossa sociedade, além do que já tem feito, se crianças tivessem acesso a educação de qualidade.

A Bíblia, a história e a vida, contudo, nos ensinam que a causa da pobreza nem sempre pode com justiça ser atribuída à responsabilidade pessoal. O pastor e teólogo americano Tim Keller ressalta, em um de seus livros, outros tipos de causas apresentadas pelas Escrituras para a pobreza, que fazem um contraponto valioso ao discurso da falha moral do indivíduo:

> A Bíblia nos dá uma matriz de causas. Um fator é a opressão, que inclui sistema judicial que pesa em favor dos poderosos (Lv 19.15), ou empréstimos com juros excessivos (Êx 22.25-27), ou salários injustamente baixos (Jr 22.13; Tg 5.1-6). Em última análise, todavia, os profetas culpam o rico quando extremos de riqueza e pobreza numa sociedade surgem (Am 5.11-12; Ez 22.29; Mq 2.2; Is 5.8). [...] Toda vez que grande disparidade estabelece-se, os profetas tomavam como certo que, em algum grau, ela foi resultado do individualismo egoísta sem preocupação com o bem comum.[4]

Keller menciona ainda desastres naturais (p. ex., o período de fome relatado em Gn 47.13-26) e, citando Jonathan Edwards, pessoas que não sabem fazer boas escolhas na vida porque carecem de discernimento.

Tive a oportunidade de conhecer duas mulheres que moram em barracos úmidos e escuros na favela do Jacarezinho cujas histórias não saem de meus pensamentos. Ambas tiveram de parar a vida por completo para se dedicar ao cuidado de filhos que sofrem de severas limitações físicas e psicológicas congênitas. Elas, no entanto, se recusam a abandoná-los e lutam sozinhas, sem apoio de ninguém.

Um dos episódios mais marcantes de minha vida no contato com a miséria existente no país que é a sétima economia do mundo e o 79º colocado entre todas as nações do planeta no Índice de Desenvolvimento Humano (IDH), foi o diálogo que tive com um morador de uma comunidade pobre do sertão da Paraíba. Visitei aquele senhor em sua residência, onde mora com a esposa e duas filhas. Suas meninas precisam percorrer diariamente um trajeto de dois quilômetros e meio, numa carroça puxada por um jegue, para chegar à beira da estrada onde tomam o ônibus que as leva à escola. O calor é insuportável. Eu o encontrei numa das piores secas dos últimos quarenta anos no sertão nordestino. A terra estava seca e rachada. O cenário era de desolação. Começamos a conversar.

— Amigo, como você vive?

— Recebo uma ajuda do Bolsa Família, que é o que me mantém.

— E quando a coisa aperta, o que você faz?

— Aí vou para São Paulo, trabalhar em padaria.

— Qual é a carga horária de trabalho?

— Lá eu trabalho dez horas por dia, seis vezes por semana.

— Quanto você ganha?

— Uns 700 reais.

— E o que você sente quando põe o pé em São Paulo?

Nesse ponto, aquele homem forte, de mãos grossas, devotado à sua bela família, amante de sua terra, cujo azul do céu e brilho do sol são de raro esplendor, desatou a chorar. Era a lembrança da dor da saudade, associada à impessoalidade da cidade grande, para onde se dirige a fim de não permitir que a mulher e as filhas, que deixa na Paraíba, sofram privação.

Voltemos à igreja descrita por Tiago. Lá estamos você e eu vendo esse tipo de gente entrar. Como vamos recebê-la?

Deveríamos pedir a Deus graça para amá-la com duas espécies de amor: o amor benevolente, que nos leva a tratar todos com bondade pelo simples fato de serem amados de Deus; e o amor misericordioso, que nos levará, mediante um pesar profundo por sua desventura, a tomar alguma atitude para amainar sua dor. Pergunto-me se nos lembraremos das palavras de Tiago nas ocasiões em que, após o culto, percorrermos com os olhos o templo em busca do rico, olhando por sobre os ombros do pobre que suplica por uma oração: "não estarão fazendo discriminação, fazendo julgamentos com critérios errados?".

CAPÍTULO 4

Eleição e missão ao pobre

TIAGO VAI ADIANTE EM sua explanação sobre o erro que é diferenciar, em honra, o rico do pobre: "Ouçam, meus amados irmãos: Não escolheu Deus os que são pobres aos olhos do mundo para serem ricos em fé e herdarem o Reino que ele prometeu aos que o amam? Mas vocês têm desprezado o pobre..." (2.5-6). A partir desse ponto, Tiago passa a descrever alguns dos motivos pelos quais o preconceito de classe social, que leva a tratar com bajulação o rico e menosprezar o pobre, é visto à luz do evangelho como algo tão perverso como o pensamento que o originou.

Esse trecho deveria estar presente em todo ensino sobre plantação de igrejas e missões, pois trata-se do maior vetor evangelístico da Bíblia. Nenhuma teologia de missões deveria negligenciá-lo. O que Tiago está simples e objetivamente dizendo é que, na maioria das vezes, quem se converte é pobre. Se queremos compartilhar as boas-novas de Cristo com esperança de sucesso, devemos nos dirigir aos miseráveis da terra. Afinal, não escolheu Deus os que são pobres?

O que a Bíblia está dizendo é que há uma tendência de Deus a honrar e coroar com sucesso a atividade que tem como objetivo levar o amor de Cristo, por meio de seu evangelho, aos pobres. Ele opera entre esses, para cuja vida a providência divina parece se revelar como severa, mas em cujo coração a graça salvadora atua usando a miséria como terreno fértil — adubado pela dor — para o florescimento da fé que, pelo amor gracioso de Deus, conduz o pobre à redenção.

Dentro da hermenêutica bíblica, isto é, das normas estabelecidas e comumente aceitas de interpretação do texto das Escrituras, existe uma regra que propõe cautela quando determinada passagem é analisada de forma isolada dos princípios existentes no restante da Palavra de Deus. Esse trecho da carta de Tiago está longe de ser uma passagem isolada; portanto, devemos atribuir a ele bastante peso na elaboração dos conceitos que nortearão nossa vida prática. A Bíblia aponta para o mesmo princípio em outras partes, inclusive no Antigo Testamento. Um exemplo está no livro de Deuteronômio, quando se fala sobre a escolha de Israel como povo separado por Deus para que, por meio dele, o Criador fosse revelado à humanidade:

> Pois vocês são um povo santo para o SENHOR, o seu Deus. O SENHOR, o seu Deus, os escolheu dentre todos os povos da face da terra para ser o seu povo, o seu tesouro pessoal. O SENHOR não se afeiçoou a vocês nem os escolheu por serem mais numerosos do que os outros povos, pois vocês eram o menor de todos os povos. Mas foi porque o SENHOR os amou.
>
> Deuteronômio 7.6-8

O próprio Jesus declara haver deliberadamente escolhido agir entre os pobres.

> João, ao ouvir na prisão o que Cristo estava fazendo, enviou seus discípulos para lhe perguntarem: "És tu aquele que haveria de vir ou devemos esperar algum outro?" Jesus respondeu:

ELEIÇÃO E MISSÃO AO POBRE | **67**

"Voltem e anunciem a João o que vocês estão ouvindo e vendo: os cegos veem, os aleijados andam, os leprosos são purificados, os surdos ouvem, os mortos são ressuscitados, e as boas novas são pregadas aos pobres".

Mateus 11.2-5

O apóstolo Paulo, ao analisar os membros das igrejas do primeiro século, constatou uma operação especial, embora não exclusiva, da graça salvadora de Deus entre os pobres.

Irmãos, pensem no que vocês eram quando foram chamados. Poucos eram sábios segundo os padrões humanos; poucos eram poderosos; poucos eram de nobre nascimento. Mas Deus escolheu o que para o mundo é loucura para envergonhar os sábios, e escolheu o que para o mundo é fraqueza para envergonhar o que é forte. Ele escolheu o que para o mundo é insignificante, desprezado e o que nada é, para reduzir a nada o que é, a fim de que ninguém se vanglorie diante dele.

1Coríntios 1.26-29

É por isso que há tantas igrejas nas favelas e nos bairros pobres de periferia. A Igreja precisa investir tempo nos que se encontram em estado de privação, exclusão e vulnerabilidade. Pregue para os pobres e você ganhará tanto eles quanto os ricos, que devem ser objeto do nosso amor e compaixão, mas que sempre abraçam a mensagem do evangelho em menor quantidade. Faça o contrário, priorize o rico, cogite plantar igrejas pensando apenas nele, e você correrá o risco de tanto deixar de alcançar aqueles que a própria Bíblia diz que foram o foco principal do ministério de Cristo quanto perder seu tempo com gente que, ainda que passe a frequentar a igreja, julgará possível servir a dois senhores: Deus e as riquezas. Essa é a experiência de todos os ricos? Não. É da maioria? Sim! É o que a história e as Escrituras ensinam. A missão é para alcançar todos? Não há dúvida! Mas jamais deveríamos negligenciar os que entre nós estão mais quebrados enquanto priorizamos aqueles que já têm na vida um deus a quem servir e que dificilmente o largam para se dedicarem exclusivamente a Cristo.

Pobres para o mundo, ricos para Deus

É um escândalo uma igreja que não tem visão para o pobre. Como entender, à luz da doutrina sólida e clara, das narrativas bíblicas e do exemplo de Cristo, que haja igrejas na terra que afirmem "não ter um chamado" para levar o evangelho ao necessitado? O que nos afasta de quem é desprovido de recursos financeiros? O grande problema que enfrentamos nessa relação é não conseguirmos divisar a glória que permanece oculta sob o disfarce da pobreza. Repare a ênfase de Tiago: "... os que são pobres *aos olhos do mundo*...". Tiago declara que *o mundo* os considera pobres. O que isso significa?

No contexto da passagem, *mundo* são todos aqueles que, devido ao sistema de valores que rege seus pensamentos, olham para o pobre e só veem desgraça. Para esses, não há outro veredicto. Tudo o que percebem são barraco, escassez, doença, analfabetismo, dependência, serviço braçal, salário baixo, anonimato. "Esses são pobres", dizem. O que pode significar tanto a constatação de um fato quanto sentimentos de pena e aversão.

Essa percepção sob certo aspecto é positiva, pois pode despertar a compaixão da Igreja e da sociedade. Pode levar o Estado a desenvolver políticas públicas a fim de socorrê-los.

É melhor ainda se a sua condição de necessidade aguda puder ser vista por sociedade, Igreja e poder público a partir da experiência de campo, a imersão no ambiente em que vivem. Isso nos ajuda tanto a conhecer a realidade sem mediações que distorcem os fatos quanto desperta a misericórdia na vida de quem ainda não perdeu a alma. Paredes rachadas, tetos furados, esgoto na porta, ratazanas subindo pelas paredes, corpo ensanguentado aguardando remoção, crianças nadando em rios poluídos, cabelos desgrenhados, pais desempregados, angústia de quem clama e não é ouvido... tudo isso exerce pressão que perturba, angustia, deprime, causa raiva e pode levar à ação, mais que qualquer livro ou pregação feita no púlpito de uma igreja.

Quando Tiago afirma, entretanto, que essas pessoas são "pobres aos olhos do mundo", tenciona fazer contraste entre pontos de vista diferentes. *Mundo* é mais que seres humanos usando sua capacidade cognitiva a fim de fazer avaliações sobre a realidade dos fatos. Significa também um modo de ver a vida, caracterizado pela absoluta sujeição a uma forma de pensamento que não leva o evangelho em consideração. Seu sentido é o de um profundo condicionamento imposto por isso que a Bíblia chama de *mundo*. O mundo não cogita Deus. Não está em busca da verdadeira "glória, honra e incorruptibilidade" (Rm 2.7, RA). Tudo que ele tem são algumas décadas de vida marcada por incerteza e fadiga debaixo do sol. Tem gente que se satisfaz com isso e fala sobre felicidade dentro desses limites impressionantemente estreitos.

Como tudo que o mundo tem é o presente século, seu horror não poderia ser maior, por ver milhões de homens e mulheres que passam seus anos de vida na dor e no anonimato da pobreza. Para o mundo, definitivamente, são pobres.

Todavia, a avaliação do mundo engana, por não estar vendo tudo que pode ser visto. Ele se esquece de dois fatos importantíssimos. Primeiro: a vida do pobre não é tão diferente da do rico. Segundo: Deus se compadece do pobre. No decurso de poucos minutos, o rico pode passar a invejar o pobre. Basta doença e luto entrarem na vida do rico para ele perceber que todos são pobres e, assim, o dono do apartamento da cobertura passa a invejar o porteiro do prédio. João Calvino escreveu, em declaração de realismo esmagador:

> Incontáveis são os males que cercam a vida humana, males que tantas outras mortes ameaçam. Para que não saiamos fora de nós mesmos: como seja o corpo receptáculo de mil enfermidades e dentro de si, na verdade, contenha inclusas e fomente as causas das doenças, o homem não pode a si próprio mover sem que leve consigo muitas formas de sua própria destruição e, de certo modo, a vida arraste entrelaçada com a morte.
>
> Que outra coisa, pois, hajas de dizer, quando nem se esfria, nem sua, sem perigo? Agora, para onde quer que te voltes, as coisas todas que a teu derredor estão não somente não se mostram dignas de confiança, mas até se afiguram abertamente ameaçadoras e parecem intentar morte pronta. Embarcas em um navio: um passo distas da morte. Montas um cavalo: no tropeçar de uma pata tua vida periclita. Andas pelas ruas de uma cidade: quantas são as telhas nos telhados, a tantos perigos estás exposto. Se um instrumento cortante está em tua mão ou de um amigo, manifesto é o detrimento. A quantos animais ferozes vês, armados estão-te à destruição. Ou que te procures encerrar em bem cercado jardim, onde nada senão amenidade se mostre, aí não raro se esconderá uma serpente. Tua casa, a incêndio constantemente sujeita, ameaça-te pobreza durante o dia, durante à noite até mesmo sufocação. A tua terra de plantio, como esteja exposta ao granizo, à geada, à

seca, e a outros flagelos, esterilidade te anuncia e, dela a resultar, a fome. Deixo de referir envenenamentos, emboscadas, assaltos, a violência manifesta, dos quais parte nos assedia em casa, parte nos acompanha ao largo.

Em meio a estas dificuldades, não se deve o homem, porventura, sentir assaz miserável, como quem na vida apenas semivivo, sustenha debilmente o sôfrego e lânguido alento, não menos que tivesse uma espada perpetuamente a impender-lhe sobre o pescoço? Que digas que estas coisas raramente acontecem, ou, sem dúvida, nem sempre, nem a todos, de fato, jamais todas a um só tempo. Concordo. Todavia, quando somos avisados pelos exemplos de outros de que podem acontecer também a nós e de que nem se deve excetuar a nossa vida mais do que a deles, não pode dar-se que não temamos e nos arreceemos como se nos hajam de sobrevir. Portanto, que de mais calamitoso possas imaginar que tal estado de medrosa expectação?[1]

Quem são os pobres? O que se pode dizer sobre eles? Que são os mais frágeis entre os frágeis, os mais necessitados entre os necessitados, mas no meio dos quais é possível encontrar os que mais costumam se tornar ricos na alma. O mundo não considera esse fato, não o vê e menospreza a riqueza do ser. Entre os pobres do mundo há milhões e milhões que são considerados ricos no céu.

Em meio ao menosprezo e ao abandono que vivenciam todos os dias e às dores reais que resultam das privações a que estão submetidos, experimentam a graça do Todo-poderoso. Essa mesma graça atua em secreto no coração dos pobres, dando-lhes aqueles recursos espirituais sem os quais a vida neste mundo é insuportável até para o rico, exceto se ele, em estado de quase completa irracionalidade, estiver sob os efeitos do narcótico chamado dinheiro.

Observe, no texto de Tiago, a glória da primeira operação da graça divina no coração dos pobres. Deus comunica à vida de milhões deles o dom da fé, que abre as portas das incomensuráveis riquezas de Deus, em Cristo. Há pobres espalhados pelo mundo inteiro que são ricos em fé: "Ouçam, meus amados irmãos: Não escolheu Deus os que são pobres aos olhos do mundo para serem ricos em fé [...]?" Ricos em fé! Número incontável de lavadeiras, empregadas domésticas, sapateiros, faxineiros, garçons, lixeiros, pedreiros, pintores, babás e tantos outros celebram em suas igrejas, com alegria incomunicável e gloriosa, a gratidão por ver o mundo por meio da fé no Cristo que os amou. Você pode mensurar o que significa ter esse dom?

A fé em Cristo é algo que só Deus pode dar. A felicidade é dom de Deus, portanto. O Senhor escolhe e concede. Que operação santa, misteriosa e bem-aventurada! Crer! Olhar para a descrição que João Calvino faz sobre a vida e, mesmo assim, experimentar o que ele chamou de "incalculável felicidade da mente piedosa".[2] Quem verificamos ser objeto, em maior número, dessa operação soberana, na qual Deus não conta com a ajuda humana? O pobre. Para os que se revoltam com a doutrina, indago: quantos trocariam a riqueza pela pobreza para que, se necessário fosse, a fé pudesse ser implantada no coração? Quantos se preocupam em ser ricos em fé? Quantos a têm como joia preciosa? Está desfeito todo o motivo da indignação. Os homens não têm o direito de cobrar de Deus a concessão daquilo de que fazem pouco caso. Quem na vida se dedica mais à obtenção de intimidade com Deus do que de reconhecimento por parte do mundo? "Pois vocês são salvos pela graça, por meio da fé, e isto não vem de vocês, é dom de Deus" (Ef 2.8).

ELEIÇÃO E MISSÃO AO POBRE | **73**

Podemos ver a graça divina visitando barracos na favelas e fazendo gente iletrada ver o que os que habitam em palácios e ocupam as cátedras de universidades renomadas jamais verão. "Naquela ocasião Jesus disse: 'Eu te louvo, Pai, Senhor dos céus e da terra, porque escondeste estas coisas dos sábios e cultos, e as revelaste aos pequeninos'" (Mt 11.25). O cristão não troca o mistério da presença da fé salvadora em seu coração por nada neste mundo. Ele sabe que a riqueza material, quando não interpretada pela fé, é pobreza; e a pobreza, quando interpretada pela fé, é riqueza. É isso que o salmo 73 quer nos ensinar:

> Assim são os ímpios; sempre despreocupados, aumentam suas riquezas. Certamente foi-me inútil manter puro o coração e lavar as mãos na inocência, pois o dia inteiro sou afligido, e todas as manhãs sou castigado. Se eu tivesse dito: Falarei como eles, teria traído os teus filhos. Quando tentei entender tudo isso, achei muito difícil para mim, até que entrei no santuário de Deus, e então compreendi o destino dos ímpios. Certamente os pões em terreno escorregadio e os fazes cair na ruína. Como são destruídos de repente, completamente tomados de pavor! São como um sonho que se vai quando acordamos; quando te levantares, Senhor, tu os farás desaparecer. Quando o meu coração estava amargurado e no íntimo eu sentia inveja, agi como insensato e ignorante; minha atitude para contigo era a de um animal irracional. Contudo, sempre estou contigo; tomas a minha mão direita e me susténs. Tu me diriges com o teu conselho, e depois me receberás com honras. A quem tenho nos céus senão a ti? E na terra, nada mais desejo além de estar junto a ti. O meu corpo e o meu coração poderão fraquejar, mas Deus é a força do meu coração e a minha herança para sempre.
>
> Salmos 73.12-26

Riqueza de fé

Lembro-me da maior alegria que a fé me fez experimentar na vida. Eu me tornei cristão em 1982. Naquela época, tinha pouco dinheiro no bolso, uma vez que meu pai era um policial honesto, e o pouco que ele podia me dar mal permitia que eu tivesse mais que um par de calças. Por isso, decidi vender contrabando, o que me dava algum dinheiro. Ao me tornar cristão, sem que ao menos alguém me instruísse a respeito, ficou evidente para mim que deveria largar aquele negócio ilegal, e imediatamente. Isso significa que não esperei vender mais para pagar as dívidas, resultantes da compra de produtos para revenda e de crediários em lojas.

Meu chamado para o ministério pastoral ocorreu logo cedo. Uma fome por conhecimento teológico se apoderou de mim. Não havia nada que desejasse mais na vida do que conhecer a fé que abraçara. Tomei, então, a decisão de trabalhar até a minha entrada no seminário teológico. Como àquela altura havia largado o sonho de ser jornalista e aguardava a entrada no curso de teologia, sem qualificação profissional nenhuma decidi vender planos de assistência médica, a única oportunidade que apareceu. Eu tinha três metas: pagar as dívidas, entregar o dízimo e comprar livros. Recordo-me da alegria de voltar das livrarias evangélicas com sacolas repletas deles, rompendo assim com vinte anos de quase completo desinteresse por qualquer tipo de literatura. Eu era surfista, vivia no mar e não tinha outro interesse na vida.

Lembro-me ainda de percorrer as lojas em busca do pagamento do dinheiro que eu devia. Guardo lembrança especial do dia em que procurei uma mulher que vendia material contrabandeado para mim, com quem havia contraído uma pequena dívida. Quando expliquei para ela o motivo que me levava a saldar o débito, falando ao mesmo tempo de minha conversão, ela começou a chorar. Anos mais tarde, a secretária da igreja onde trabalho recebeu o telefonema de uma mulher, que havia assistido ao programa que eu apresentava na televisão naquela época. Era aquela senhora, contando toda a história que acabei de relatar. Mais uma vez, comovida. Estou certo de que ela não teria levado minha mensagem a sério se eu não tivesse pagado o que devia.

Visitei número incontável de residências, tentando vender meus planos de saúde. O que me aconteceu de mais marcante naquele período foi uma experiência que tive dentro de um ônibus. Estava na parte de trás, a caminho do município de São Gonçalo, a fim de atender a alguns pedidos de venda, quando, ao chegar a uma alameda, no início da ponte Rio-Niterói, fui tomado da absoluta certeza de que Cristo havia ressuscitado e que, se ele havia vencido a morte, tudo que ele disse era verdadeiro. Logo, a vida teria sentido. Provei uma alegria que não é deste mundo, a mais intensa que já experimentei. Não troco o que vivi naquela ocasião pelo maior prazer que essa vida possa oferecer a um mortal. Ali, ficou evidente para mim que a alegria que o evangelho nos proporciona é incircunstancial. Milhões de pobres a conhecem e não a trocam por nada.

Tiago declara que Deus derrama no coração de milhões de pobres fé em profusão, o que os torna ricos em fé. Com isso, o materialmente necessitado obtém, por meio da fé, o que o rico muitas vezes procura — mediante o sacrifício do que lhe é mais caro — encontrar na riqueza. Pela fé o pobre tem paz, debocha da morte, recebe perdão, tira forças da fraqueza, ganha independência em relação às circunstâncias de sua existência, adora sob o céu estrelado, come o pão e sente o gosto. Fomentemos a pobreza para que os homens sejam ricos em fé? Combatamos a prosperidade para que os homens aprendam a depender de Deus? A resposta a essas indagações, que parecem apontar para uma contradição crassa nas Escrituras, é a seguinte: preguemos o evangelho para o pobre porque a necessidade humana é a oportunidade divina; lutemos contra a injustiça social porque é isso o que Deus pede do homem; ensinemos o homem a ser humilde, porque tudo que lhe é acrescentado em termos materiais tende a conduzi-lo à independência de Deus.

Riqueza de fé significa fé profunda e ampla. Fé descomplicada, que silencia as mais diferentes vozes da dúvida e do desespero. Tenho encontrado muito essas expressões de fé na vida de gente humilde, até mesmo diante da perda de parentes vitimados pela violência. Essa fé é o passaporte que, pela graça divina, dá acesso ao reino vindouro, para "herdarem o Reino que ele prometeu aos que o amam". Tiago estabelece um contraste radical. De um lado, o mundo e aqueles a quem considera pobres. De outro, os herdeiros do reino. O mundo olha para o cristão pobre e o menospreza. Pelos valores deste século não há vida da qual se possa fugir mais horrorizado que a vida na pobreza. O que é este mundo, contudo, sob a perspectiva do reino de Deus? A Bíblia fala muito sobre esse país, essa pátria, essa teocracia, a ser implantada pelo próprio Deus.

> Então vi novos céus e nova terra, pois o primeiro céu e a primeira terra tinham passado; e o mar já não existia. Vi a Cidade Santa, a nova Jerusalém, que descia dos céus, da parte de Deus, preparada como uma noiva adornada para o seu marido. Ouvi uma forte voz que vinha do trono e dizia: "Agora o tabernáculo de Deus está com os homens, com os quais ele

viverá. Eles serão os seus povos; o próprio Deus estará com eles e será o seu Deus. Ele enxugará dos seus olhos toda lágrima. Não haverá mais morte, nem tristeza, nem choro, nem dor, pois a antiga ordem já passou".

Apocalipse 21.1-4

Esse reino é visto nas Escrituras como dom de Deus; não está nas mãos dos homens implantá-lo. É muito mais que a tão sonhada harmonia entre igualdade e liberdade; é a suprema realização das utopias políticas muito além do que os sonhos mais abrangentes ousaram imaginar. Trata-se do mundo que só pode se tornar viável se a natureza humana mudar, milagre que a Harvard não pode operar, uma vez que, sem o novo nascimento, o coração não acompanha a mente e o intelecto expande, mas o homem continua um girino espiritual — a cabeça enorme, mas sem nenhum corpo de amor verdadeiro a Deus, fundamento maior da harmoniosa relação entre os seres humanos. É o mundo sem delegacias, prisões, polícia, exército, magistrados, monopólio do uso da força por parte do Estado, desigualdade de oportunidade, burocracia, demissões em massa, opressão econômica, divisão tripartite de poder.

Tornamo-nos tão doentes que não temos força para sonhar com esse mundo. Sabemos, contudo, que algo está errado com uma realidade que precisa dessas instituições para manter a vida em sociedade. O maior sinal de nossa miséria é não ser possível conceber uma cidade que subsista sem a presença em seu seio do elemento da coerção. Neste exato momento, enquanto você lê estas páginas, pessoas estão sendo condenadas à prisão e milhões encontram-se privados de sua liberdade. Lamentável? Poderia ser diferente? Até temos como humanizar o sistema de justiça criminal, mas, para bani-lo deste mundo, nossa natureza precisaria ser diferente. Somos viciados em nós mesmos. Esse amor desmesurado nos leva a destruir e matar.

Ainda que imaginemos que com educação, produção de riqueza, leis justas, bons governos e avanço da ciência consigamos banir esses males do nosso planeta, continuaríamos a viver num mundo no qual a terra mantém-se de boca aberta, insaciável no seu desejo de consumir vidas humanas. Sem a perspectiva do céu, a vida não faz sentido. Precisamos de um mundo justo, bom e estável.

Recordo-me do dia em que andava pelas ruas de Nova York e senti o desejo de subir no World Trade Center. Experimentei uma forte vontade de orar e, por isso, passei um bom tempo em oração. A visão lá de cima era realmente impressionante. O rio Hudson, os magníficos arranha-céus, as janelas de escritórios nos quais trabalhavam algumas das pessoas mais brilhantes do planeta. Senti-me no pináculo do templo, vendo a glória dos reinos deste mundo. O que me levou a dizer, como se estivesse falando para o mundo inteiro, com toda a sua glória e riqueza: "Eu estou crucificado para ti e tu estás crucificado para mim. Aguardo novos céus e nova terra. Tu não és suficiente para as aspirações do meu coração". Quando as torres gêmeas desmoronaram nos atentados de 11 de setembro de 2001, lembrei-me daquele momento de oração e do caráter transitório deste mundo.

O céu e a grandeza de Deus

A Bíblia fala sobre o céu. Você pode até achar o fim alguém falar sobre a existência de um lugar como esse em pleno século 21. Indago: dá para viver sem ele? O que você julga preferível: ter essa esperança ou viver sem ela? Eu sei que o fato de desejá-la não é a prova de que ela seja realizável. Nós, cristãos, contudo, continuamos afirmando que é incompatível com a natureza santa de Deus não reservar um lugar como esse para os que o amam. Quando os saduceus, grupo de judeus que não criam na ressurreição, testaram o conhecimento de Jesus sobre o tema, ouviram sua magistral resposta: "Quanto à ressurreição dos mortos, vocês não leram no livro de Moisés, no relato da sarça, como Deus lhe disse: 'Eu sou o Deus de Abraão, o Deus de Isaque e o Deus de Jacó'? Ele não é Deus de mortos, mas de vivos. Vocês estão muito enganados!" (Mc 12.26-27). Jesus nos ensina a estribar nossa esperança no caráter de Deus. Ele jamais permitirá que seus amados, a quem conhece pelo nome, tombem no *não ser*. Ele os arrebatará desta vida intolerável para viver consciente e eternamente numa sociedade santa.

O que é o céu? É o lugar onde Deus habita. Nada o torna mais distinto, amável e desejado que isso. No céu, os homens contemplam a glória de Deus tal como hoje veem o brilho do Sol. Pela primeira vez, a fé e a esperança deixarão de ser imprescindíveis para a humanidade. Contemplaremos Deus. Viveremos o sonho. Só restará o amor.

Sabemos, contudo, que essa relação santa, repleta de culto, lágrimas, espanto e alegre perplexidade terá como cenário o mundo que o homem jamais um dia pôde sonhar: "Olho nenhum viu, ouvido nenhum ouviu, mente nenhuma imaginou o que Deus preparou para aqueles que o amam" (1Co 2.9). Ali, nesse santíssimo lugar, será formada uma sociedade santa, na qual todos serão excelentes e, sendo assim, amabilíssimos. Finalmente nos amaremos perfeitamente, como irmãos. Nosso amor terá a característica da complacência. Teremos prazer em servir a gente tão amável. Essa é a razão pela qual a inveja, raiz da tantas desgraças neste mundo, não terá lugar naquele glorioso país. Como escreveu o pregador e teólogo Jonathan Edwards:

O amor benevolente deleita-se na prosperidade do outro, enquanto o amor complacente deleita-se em contemplar a beleza ou a perfeição do outro. [...] Há indubitável e inconcebível puro, doce, e fervente amor entre os santos na glória; e como o amor é proporcional à perfeição e amabilidade dos objetos amados, tem que causar necessariamente deleite nos santos quando eles veem aquela felicidade e glória nos outros na proporção da sua amabilidade, e assim na proporção do seu amor por eles. Os que são os mais altos em glória são aqueles que são os mais altos em santidade e, portanto, são aqueles que são os mais amados por todos os santos.[3]

Tudo naquele reino será excelente. Homens e mulheres, livres de todas as limitações do corpo, se amarão ardentemente para todo o sempre, num ambiente de esplendor natural, à altura do amor de Deus por seu povo, e perfeitamente adaptado para a excelência do caráter de seus habitantes.

Pois é necessário que aquilo que é corruptível se revista de incorruptibilidade, e aquilo que é mortal se revista de imortalidade. Quando, porém, o que é corruptível se revestir de incorruptibilidade, e o que é mortal, de imortalidade, então se cumprirá a palavra que está escrita: "A morte foi destruída pela vitória".

1Coríntios 15.53-54

Com essa realidade, retornamos ao texto de Tiago. O que ele declara é que milhões de pobres herdarão todas essas coisas. Nesse sentido, eles são pobres apenas "para o

ELEIÇÃO E MISSÃO AO POBRE | **81**

mundo". Já o reino futuro foi prometido para eles, como uma riqueza sem igual. O Deus que não pode mentir, porque ama seu santo nome, prometeu. É impossível que o pobre seja frustrado em sua esperança. Aquilo que lavadeiras, sapateiros, agricultores, empregadas domésticas, pedreiros, garçons, lixeiros, desempregados e muitos outros aguardam corresponde à realidade dos fatos. Deus não brinca com o sentimento do pobre, tornado santo pela graça divina.

O pobre redimido pela graça é rico aos olhos de Deus. Ele crê. Aquele que conhece o funcionamento da alma humana sabe que só a fé que dá esperança é capaz de manter a sanidade mental de quem usa o cérebro. Deus sabe o que significa para a alma viver completamente adaptada às demandas do espírito. E não apenas isso: o pobre nascido de novo também ama. O amor de Deus por nós consiste em nos fazer amá-lo.

Podemos imaginar alguém mais feliz do que quem ama a Deus? E o ama simplesmente porque ele é excelente. Milhões de pobres veem excelência em Deus. Entendem, ainda que não o possam muitas vezes articular nesses termos, as palavras da Confissão de Fé de Westminster:[4]

> Há um só Deus vivo e verdadeiro, o qual é infinito em seu ser e perfeições. Ele é um espírito puríssimo, invisível, sem corpo, membros ou paixões; é imutável, imenso, eterno, incompreensível, onipotente, onisciente, santíssimo, completamente livre e absoluto, fazendo tudo segundo o conselho de sua própria vontade, que é reta e imutável, e para a sua própria glória. É cheio de amor, é gracioso, misericordioso, longânimo, muito bondoso e verdadeiro galardoador dos que o buscam, e, contudo, justíssimo e terrível em seus juízos, pois odeia todo pecado; de modo algum terá por inocente o culpado.[5]

Que declaração! Você vê excelência nesse ser? Milhões de pobres veem, e o amam. Um número incontável de pobres recebe com ações de graças o pouco que tem. Podem não comer com requinte e sofisticação, mas sentem o gosto da comida porque há alguém no universo a quem podem agradecer. Eles adoram a Deus pela beleza do seu ser e o cultuam pelos seus gloriosos feitos.

Por que chegamos a desprezar o pobre? Todos deveriam ser amados e honrados pelo simples fato de serem humanos. Sua condição é digna de misericórdia. Podemos mensurar o que sentem, pois temos a mesma natureza. A Bíblia acrescenta o fato de milhões dentre eles terem sido separados na eternidade para a salvação. Número incontável deles já se apoderou da redenção. São filhos de Deus, adotados por ato de graça e amor. A denúncia de Tiago, contudo, persiste: "Mas vocês têm desprezado o pobre" (v. 6).

Uma das respostas para o menosprezo sofrido pelo pobre é o fato de sua glória estar oculta a nossos olhos por sua pobreza. Não acolhemos o próprio Deus que escolheu ser encontrado nos humildes. Somos propensos, portanto, a desconsiderar aqueles que, embora pouco conhecidos na terra, são famosos no céu. São pobres, mas creem e amam, o que leva Deus a se deleitar em sua vida. São pobres, e talvez ainda não tenham professado fé naquele a quem um dia haverão de amar, mas chegará o dia em que brilharão como as estrelas no firmamento. São pobres, mas suas orações ecoam onde Deus habita. São pobres, mas tocar neles é tocar na menina dos olhos de Deus: "Quem zomba dos pobres mostra desprezo pelo Criador deles" (Pv 17.5); "Quem trata bem os pobres empresta ao SENHOR, e ele o recompensará" (Pv 19.17). Se damos as costas ao necessitado, ao faminto, ao sedento, deixamos de receber o próprio Cristo, oculto na miséria do pobre. Nas palavras de Jesus:

ELEIÇÃO E MISSÃO AO POBRE | **83**

Quando o Filho do homem vier em sua glória, com todos os anjos, assentar-se-á em seu trono na glória celestial. Todas as nações serão reunidas diante dele, e ele separará umas das outras como o pastor separa as ovelhas dos bodes. E colocará as ovelhas à sua direita e os bodes à sua esquerda.

Então o Rei dirá aos que estiverem à sua direita: "Venham, benditos de meu Pai! Recebam como herança o Reino que lhes foi preparado desde a criação do mundo. Pois eu tive fome, e vocês me deram de comer; tive sede, e vocês me deram de beber; fui estrangeiro, e vocês me acolheram; necessitei de roupas, e vocês me vestiram; estive enfermo, e vocês cuidaram de mim; estive preso, e vocês me visitaram".

Então os justos lhe responderão: "Senhor, quando te vimos com fome e te demos de comer, ou com sede e te demos de beber? Quando te vimos como estrangeiro e te acolhemos, ou necessitado de roupas e te vestimos? Quando te vimos enfermo ou preso e fomos te visitar?"

O Rei responderá: "Digo-lhes a verdade: O que vocês fizeram a algum dos meus menores irmãos, a mim o fizeram".

Então ele dirá aos que estiverem à sua esquerda: "Malditos, apartem-se de mim para o fogo eterno, preparado para o Diabo e os seus anjos. Pois eu tive fome, e vocês não me deram de comer; tive sede, e nada me deram para beber; fui estrangeiro, e vocês não me acolheram; necessitei de roupas, e vocês não me vestiram; estive enfermo e preso, e vocês não me visitaram".

Eles também responderão: "Senhor, quando te vimos com fome ou com sede ou estrangeiro ou necessitado de roupas ou enfermo ou preso, e não te ajudamos?"

Ele responderá: "Digo-lhes a verdade: O que vocês deixaram de fazer a alguns destes mais pequeninos, também a mim deixaram de fazê-lo".

E estes irão para o castigo eterno, mas os justos para a vida eterna.

Mateus 25.31-46

CAPÍTULO 5

A teologia da riqueza

TIAGO PROSSEGUE EM SUA explanação com uma afirmação dura acerca dos ricos: "Não são os ricos que oprimem vocês? Não são eles os que os arrastam para os tribunais? Não são eles que difamam o bom nome que sobre vocês foi invocado?" (2.6-7). Sua carta revela que os cristãos do primeiro século enfrentavam problemas com os mais abastados.

Ele menciona conflitos de três espécies: opressão, criminalização e blasfêmia. Uma questão central emerge nesse ponto, e gostaria de convidar você a pensar: essa passagem está descrevendo fatos isolados referentes à vida do rico? A meu ver, não há dúvidas de que o teor do que Tiago está falando não representa declaração de natureza universal. Seu propósito não é descrever a vida de *todos* os ricos. O que a Bíblia, contudo, tem a nos dizer sobre o que Tiago afirma? A resposta é dura. As Escrituras ensinam que pouquíssimos ricos experimentam a salvação e que a maioria está envolvida direta ou indiretamente com as mesmas injustiças, abusos e impiedades descritos por Tiago.

Comecei meu ministério como pastor entre os ricos. No final da década de 1980, fui enviado pela Igreja Presbiteriana Betânia para plantar uma igreja na Barra da Tijuca, bairro nobre do Rio de Janeiro, onde moram, em condomínios de luxo, pessoas de elevado poder aquisitivo, como artistas, empresários e jogadores de futebol. A região é banhada pelas águas limpas e claras da praia da Barra, na qual se realizam competições internacionais de surfe. Com sofisticados *shopping centers*, casas de *show*, restaurantes, boates e academias de ginástica, a região se transformou no sonho de consumo da classe média emergente da cidade.

A ideia não era pregar exclusivamente para ricos. Tampouco escolhi pastorear naquela área por um desejo do meu coração, mas pessoas se dispuseram a ajudar na formação de uma nova comunidade cristã e foi-me oferecida a oportunidade de pregar, embora ainda estivesse cursando o seminário teológico. Comecei então a ensinar, nas tardes de domingo, num templo alugado em frente ao principal *shopping center* do bairro. A igreja cresceu. Passei a conhecer pessoas famosas, empresários e comerciantes. Ali, descobri o drama do rico e obtive evidência empírica — perdoe-me pela obviedade — que dinheiro em excesso não resolve os problemas mais essenciais do ser humano. Vi pais desesperados por conta do envolvimento de filhos com drogas, famílias se dissolvendo, empresários falindo, pessoas contraindo doenças incuráveis, gente morrendo de câncer, jovens portadores de psicopatologias severas. Conheço quase todos os cemitérios e hospitais do Rio de Janeiro, aonde, em não poucas ocasiões, me dirigi a fim de levar consolo para pessoas que, apesar do alto padrão financeiro, tinham de enfrentar as agruras da vida.

Quero deixar claro que conheci na Barra da Tijuca gente abastada que me ajudou muito no meu ministério. Há pessoas pelas quais tenho gratidão eterna. Sem a ajuda da classe média alta e de alguns amigos que posso considerar ricos, eu não teria feito muito do que pude fazer no meu trabalho em comunidades pobres e por meio das manifestações de rua. Conheci gente humana, que não permitiu que a prosperidade do *ter* impedisse a prosperidade do *ser*.

Aqueles anos marcaram-me profundamente, a ponto de, paradoxalmente, dificultarem meu interesse pela política, pois parte de seu objetivo é levar os seres humanos a viver num grau maior ou menor no padrão de vida dessas pessoas, cujo sofrimento conheço tão bem. A despeito de toda riqueza, essa gente se vê impotente diante dos dramas que atingem a vida de todos, e aos quais nenhum modelo político, por melhor que seja, pode oferecer solução. A condição humana é trágica. Carecemos de resposta para o absurdo.

O que vem a ser a boa política? É a arte de prover o tipo de segurança e prosperidade que permite ao homem parar para pensar. É isso que falta às nossas democracias. Homens e mulheres vivem sem ter tempo para examinar a vida. A jornada de trabalho, a competição, a burocracia estatal, a insegurança pública e as horas gastas no trânsito roubam-lhes o tempo.

Quando penso no objetivo de toda a luta política, desejável sob todos os aspectos, penso na possibilidade de, finalmente, os homens terem tempo para se dedicar às demandas mais profundas do espírito. O que nos aguarda quando esse dia chegar? Não consigo ver outra consequência que não seja o tédio. Vencer a luta pela obtenção do pão e ter garantido o direito à vida e à propriedade dará ao homem mais tempo para ouvir a si mesmo. Mas o que ele ouvirá? Ouvirá o que o levará a inventar guerras, buscar entretenimento, comer como um alucinado, transformar *hobby* em religião, consumir drogas, sair em busca da elevação do padrão de vida. Lutamos para descansar, mas abominamos o descanso.

88 | CONVULSÃO PROTESTANTE

Como diz o filósofo francês Blaise Pascal, em análise singular na história da literatura universal sobre a condição humana:

> Por serem incapazes de evitar a morte, a miséria e a ignorância, os homens decidiram que, para serem felizes, eles devem reprimir os pensamentos sobre tais coisas. [...] Sinto que a única causa da infelicidade humana é que o homem não consegue permanecer quieto em seu próprio quarto. [...] A condição natural, seja de nossa mortalidade, seja da nossa fraqueza, é tão miserável que nada é capaz de nos consolar quando realmente pensamos nisso. [...] O que as pessoas desejam não é uma vida mansa e fácil, que nos permita ter tempo para refletir sobre nossa triste sina, ou nos preocuparmos com os perigos da guerra, ou com as provações impostas pelos altos cargos. No trabalho temos um agente narcótico para manter nossas mentes afastadas da reflexão sobre tais coisas. Eis por que preferimos a caçada ao momento da presa. Dizer a um homem que viver em descanso é a mesma coisa que viver feliz significa aconselhá-lo a desfrutar de uma condição na qual ele está completamente feliz e na qual ele pode refletir demoradamente sem ter algo que venha distraí-lo. [...] Os que naturalmente têm consciência do que desejam evitar evitam o descanso como praga. Eles fariam qualquer coisa para se manterem ocupados. Não é certo culpá-los, pois eles não estão errados por querer agitação se tudo o que desejam é distrair-se. [...] Nós buscamos repouso por meio de combater certos obstáculos e, uma vez que esses obstáculos tenham sido superados, descobrimos que o descanso é insuportável pelo tédio que isso gera.[1]

As verdadeiras conquistas políticas permitem ao homem parar para pensar, seja nas razões da sua esperança, seja nos motivos do seu desespero.

A mentalidade do rico

Por trás de todo pensamento político há um ponto de vista sobre o homem. Seria a humanidade inerentemente boa ou má por natureza? A Bíblia a apresenta como formada por seres "esquizofrênicos". Rachados ao meio. Grandes e pequenos. Nobres e mesquinhos. Lúcidos e loucos. Mas, como entidade criada à imagem de Deus e portadora, portanto, das virtudes do seu Criador, o ser humano é capaz de realizar obras espantosas de justiça e bondade. Nos últimos anos, chamou-me a atenção, nos muitos livros que li de autores não cristãos, a sugestão de políticas públicas profundamente alinhadas com os valores cristãos.

Para o cristianismo, isso não surpreende. O homem pode negar a origem divina do seu ser; o que não pode é matar aquilo que Deus imprimiu no seu espírito no ato da criação. Aqui e ali ele se trai, vivendo como se Deus existisse e fazendo coisas de cristãos. O ser humano natural pode chamar o amor de "fenômeno químico-biológico", mas não consegue deixar de fazer seus poemas e chorar quando retoma nos braços o filho que julgava ter perdido para sempre. Em tudo isso ele vê beleza. Pode, ainda, declarar que não nasce pré-definido. Primeiro, argumenta, viria a existência e, num segundo momento, teria início a busca da definição. Por isso, acredita que tudo é relativo, uma mera construção social da realidade. Não são poucas as vezes, contudo, em que nós, cristãos, damos graças a Deus pela vida de homens não cristãos, pois os vemos fazendo exatamente aquilo que faríamos se estivéssemos em seu lugar — ou, até mesmo, lutando por aquilo que a Igreja deixou de lutar. Nessas ocasiões, os vemos agindo como se tivessem lido os Dez Mandamentos e dito "amém" para o nosso Deus.

90 | CONVULSÃO PROTESTANTE

A Bíblia ensina que há algo esquisito no homem; algo tão grave que o faz carecer de um salvador. Ele é capaz de amar, lutar pela justiça e compor belos poemas, mas jamais para a glória de Deus. Vive em função de si mesmo. Obcecado com sua felicidade, mente e odeia. Na busca pela realização pessoal, perverte a verdade e atropela seu semelhante. Por onde tem passado, há destruição e miséria:

> Como está escrito: "Não há nenhum justo, nem um sequer; não há ninguém que entenda, ninguém que busque a Deus. Todos se desviaram, tornaram-se juntamente inúteis; não há ninguém que faça o bem, não há nem um sequer. Suas gargantas são um túmulo aberto; com suas línguas enganam. Veneno de serpentes está em seus lábios. Suas bocas estão cheias de maldição e amargura. Seus pés são ágeis para derramar sangue; ruína e desgraça marcam os seus caminhos, e não conhecem o caminho da paz. Aos seus olhos é inútil temer a Deus".
>
> Romanos 3.10-18

A leitura de qualquer livro de história geral comprova a doutrina: "Catherine Morland, a heroína do romance *Northanger Abbey* [A abadia de Northanger], de Jane Austen, queixava-se de que a história 'nada me diz que não me canse ou me enfastie. Rixas entre papas e reis, com guerras ou pestes em toda página; os homens tão pouco dignos; praticamente, mulher alguma... Tudo isso é muito aborrecido'".[2] Sujeito a comportamento ambivalente em tudo o que faz, no homem há glória e miséria, virtude e pecado, verdade e mentira. O cristianismo parte da firme pressuposição de que nem sempre foi assim. Houve uma queda, que criou todo esse desarranjo, levando o homem a viver em busca de uma glória perdida, o que o faz esquecer-se de

A TEOLOGIA DA RIQUEZA | **91**

Deus e passar por cima dos homens para ser feliz. Como escreveu John Stott:

> Eis aqui, pois, o paradoxo da nossa condição humana: nossa dignidade e nossa depravação. Nós somos igualmente capazes do mais sublime gesto de nobreza e da mais vil crueldade. Num momento podemos comportar-nos como Deus, a cuja imagem fomos criados, para logo depois agirmos como animais, dos quais deveríamos diferir completamente. Foram os seres humanos que inventaram os hospitais para cuidar dos doentes, universidades onde se cultiva a sabedoria, assembleias e congressos para o governo justo dos povos, e igrejas onde adorar a Deus. Mas foram eles também que inventaram as câmaras de tortura, os campos de concentração e os arsenais nucleares. Estranho e incrível paradoxo! Nobre e ignóbil, racional e irracional, moral e imoral, divino e animal.[3]

Como ver o rico à luz dessa impressionante ambiguidade? De que modo ela opera em sua vida?

A riqueza distorce sua visão da realidade. Ele se esquece de quem é. Passa a acreditar no que as pessoas dizem a seu respeito e, sob os efeitos da embriaguez do sucesso, encanta-se consigo próprio. A riqueza distancia o rico do mundo dos fatos, pois o cerca de bajuladores que o levam a ter visão hipertrofiada de si mesmo. Imagine o que significa para um mortal ser adorado diariamente pelos que estão ao seu redor. Ao comparar-se com os milhões que não alcançaram seu padrão de vida, chega à conclusão de que seus poderes pessoais, mais a predileção "dos deuses", o tornaram membro de outra classe de homens. Não é tarefa fácil para um filho de Adão lidar com a riqueza sem se ensoberbecer. O livro de Provérbios fala sobre algumas das principais ilusões do rico: "A riqueza dos ricos é a sua cidade fortificada, eles a imaginam como um muro que é impossível escalar" (Pv 18.11); "O homem rico é sábio aos seus próprios olhos" (Pv 28.11, RA).

Tudo isso faz o rico refletir sobre quanto sua vida é importante para o mundo. Ao pensar nas pessoas que dele dependem, é levado a crer que possui o direito de burlar a lei, se necessário for. Cerca-se de um *entourage*, que a ele se dedica a fim de que nada lhe falte. Como diz Provérbios: "Os pobres são evitados até por seus vizinhos, mas os amigos dos ricos são muitos" (Pv 14.20). Daí vem a sua dificuldade de ser contrariado, o que causa muita apreensão nos que lhe são próximos: "O pobre implora misericórdia, mas o rico responde com aspereza" (Pv 18.23). A consequência inevitável é a solidão.

Sexo, dinheiro e poder estão à sua disposição. Possui corpos, possui coisas, possui cargos. Usa pessoas, compra o que reveste sua vida de glória e faz pobres mortais tremerem na sua presença. Passa a considerar que tem atributos divinos ou, no mínimo, que é um escolhido de Deus. Desloca-se pelos lugares com rapidez, compra informação e muda o rumo da vida até mesmo de milhões de seres humanos.

Como ele consegue manter a riqueza num mundo composto por milhares de indivíduos iguais a ele, que vivem sob as mesmas paixões? Como lida com a inveja dos que se encontram no andar de baixo? Como se relaciona com leis que embaraçam seu caminho? Vivendo num emaranhado de negociatas, mentiras, traições e suspeitas.

O rico não apenas vive ansioso por temer perder o que amealhou. Como sua busca por riqueza é insaciável, uma vez que as demandas do espírito humano não podem ser satisfeitas por este planeta, mantém-se indomável na sua procura pela ampliação do patrimônio. Causa-lhe horror

A TEOLOGIA DA RIQUEZA | **93**

tudo o que se interpõe no seu caminho para o impedir de aumentar a riqueza ou a ameaçando. O escritor G. K. Chesterton não exagera ao dizer:

> Se [...] supusermos que as palavras de Cristo tinham exatamente o significado mínimo que poderiam ter, suas palavras devem no mínimo significar o seguinte: que é provável que os ricos não sejam moralmente dignos de confiança. [...] Você vai ouvir a vida inteira, em todas as discussões sobre jornais, companhias, aristocracias ou partidos políticos, o argumento de que o rico não pode ser subornado. O fato é, naturalmente, que o rico é subornado; ele já foi subornado. É por isso que ele é rico. [...] Há uma coisa que Cristo e todos os santos cristãos disseram com monotonia cruel. Eles disseram simplesmente que ser rico é correr um risco peculiar de desastre moral. [...] É totalmente anticristão confiar nos ricos, considerar que os ricos são moralmente mais dignos de confiança que os pobres.[4]

Como podemos considerar que a declaração de Chesterton é um equívoco após examinarmos o que o próprio Cristo disse? "Então Jesus disse aos discípulos: 'Digo-lhes a verdade: Dificilmente um rico entrará no Reino dos céus. E lhes digo ainda: É mais fácil passar um camelo pelo fundo de uma agulha do que um rico entrar no Reino de Deus'" (Mt 19.23-24). Somente ao compreendermos essa dura realidade, conseguiremos entender o que Tiago disse a seguir, por meio dos três verbos que usou: oprimir, arrastar e blasfemar.

Ricos que oprimem

Ao lermos a pergunta de Tiago, "Não são os ricos que oprimem vocês?" (2.6), percebemos que cristãos do primeiro século são apresentados como indivíduos que enfrentavam sérios problemas com os ricos. Sabemos que é uma verdade parcial a afirmação do dramaturgo romano Tito Plauto (254-184 a.C.) em sua peça *Asinaria*: "O homem é o lobo do homem". O filósofo inglês Thomas Hobbes popularizou a frase em seu tempo e a apresenta como a razão de ser da formação do Estado, com o seu monopólio do uso da força, a fim de exercer a função de juiz nas disputas entre os homens. Para Hobbes, esse fato deveria ser visto como um atestado humilhante e autêntico da nossa incapacidade de amar: "... as palavras são fracas diante da ambição, avareza, cólera e outras paixões dos homens se estes não sentem o temor de um poder coercitivo".[5] Poderia ser diferente se nossa natureza não fosse propensa ao egoísmo.

Participei de um debate, na Universidade Federal do Rio de Janeiro (UFRJ), sobre a violência no Rio de Janeiro. O coronel da Polícia Militar Antonio Carlos Carballo e eu falávamos sobre o que poderia servir de solução para os gravíssimos problemas que estamos enfrentando no campo da segurança pública; eu, sob o ponto de vista da sociedade civil, e ele, o da polícia. Quando abrimos espaço para perguntas, um aluno indagou sobre a razão da necessidade de termos uma polícia. "Não seria melhor não termos nenhuma?", questionou ele. Percebi que o rapaz revelava querer viver no mesmo tipo de mundo no qual eu gostaria de habitar, sem presídios, juízes e policiais armados. A diferença entre nós consiste no fato de faltar-me fé de que isso seja possível.

Nossa natureza não nos permite conceber outro tipo de relações sociais. Vivemos num mundo onde devoramos uns aos outros, como lobos que estraçalham o semelhante. Lamentavelmente, carecemos, sim, de alguém que, com o

A TEOLOGIA DA RIQUEZA | **95**

nosso consentimento, se interponha entre nós, legislando, ameaçando, protegendo, condenando, punindo. Saí do encontro pensando na influência que aquele estudante deve ter recebido de algum professor, que o levou a crer, sem o mínimo de evidência, que o homem nasce bom e que o meio o perverte.

Sei que há solidariedade e beleza no mundo. Mas, numa análise fria e sem paixões da natureza humana, veremos que o que é natural e muito mais comum entre nós é nos recusarmos a dar ao próximo o que lhe é de direito. Isso fica ainda pior quando um de nós se torna rico. O profeta hebreu Miqueias disse, em seu tempo: "Os ricos que vivem entre vocês são violentos; o seu povo é mentiroso e as suas línguas falam enganosamente" (Mq 6.12).

O rico é o homem partido que usa o *não repartido* para criar cidades partidas. Sua vida é caracterizada pela acumulação egoísta, legitimada pelo Estado, usada para explorar e criar fossos entre os homens dentro de uma mesma cidade. É o homem tornado mais forte! Sei que é óbvio e simples, mas esse ponto é essencial. Há pessoas entre nós que têm mais poder que outras. Melhor dizendo, há algumas poucas pessoas entre nós que têm mais poder que milhões de nós. O que elas fazem com esse poder?

Primeiro, precisa ficar estabelecido que elas têm poder, e homens terem poder é sempre um problema. Anjos de Deus podem ter muito poder. Nossa alegria se baseia no fato de que aquele que é infinito em amor, sabedoria e justiça é todo-poderoso. Celebramos esse poder infinito nas mãos de um ser santíssimo, absolutamente separado do mal. Mas um indivíduo de carne e osso acumular muito poder sempre exigirá a criação por parte da sociedade de mecanismos de controle.

O poder econômico controla o mundo. Pense nesse ser que tem condições de comprar vereadores, deputados, senadores, prefeitos, governadores, presidentes e magistrados, e de quem milhões de vidas humanas dependem para viver. Há quem se venda. Há quem queira comprar. Há quem tenha dinheiro para comprar. Segundo a organização autônoma e independente Transparência Brasil, dedicada ao combate à corrupção, 70% das empresas brasileiras gastam até 3% de seu faturamento anual com propinas.[6]

Tudo isso representa pactos quebrados, acordos lançados no lixo, direitos desrespeitados. O resultado é gente astuta e poderosa manipulando o sistema a seu favor e para a desgraça de milhões de pobres explorados. Enquanto você lê este parágrafo, lobistas compram parlamentares, empresários pautam jornalistas, representantes de grandes grupos financeiros fazem bater o martelo do juiz em favor do rico e homens de negócios estão comprando pastores para que preguem mensagens que não perturbem. Como explicar este mundo de outra forma? Como desabafa o escritor Frei Betto:

> Em todos os setores da sociedade, há corruptos e bandidos. A diferença é que, na elite, a corrupção se faz sob a proteção da lei e os bandidos do colarinho branco são defendidos por mecanismos jurídicos e econômicos sofisticados, que permitem, por exemplo, um especulador levar milhões de pessoas à penúria.[7]

O rico joga com o instinto de sobrevivência, a paixão sexual, a fome de poder, o anseio por visibilidade. Em todas as esferas de poder encontrarão sempre quem queira se vender, especialmente se ele vive num país no qual não há controle social sobre nada. Em meu trabalho evangelístico entre traficantes de drogas, ouvi da parte deles que os maiorais costumam ter uma poupança para pagar o chamado "arrego" da polícia, a propina entregue para que se faça vista grossa ao crime. Lembro-me de, em certa ocasião, estar pregando o evangelho para um deles, quando chegou pelo rádio transmissor a notícia de que um membro da facção havia sido pego pela Polícia Militar. Ele virou-se para mim e disse:

— Agora vamos ver se ele não vai preso.

— Mas como assim? A polícia não o prendeu? Então ele vai para a cadeia.

— Não, agora começa a negociação da soltura.

Sei de traficantes que perderam fortunas para policiais, e policiais que declaram ter o desprazer de ter que levar o "arrego" para o comandante do batalhão. Policiais evangélicos afirmam lidar com terríveis conflitos de consciência. Conheci um PM que levou um tiro durante uma operação policial. O ferimento deixou um sulco do lado direito de sua cabeça, e a experiência o fez se aproximar de Deus (a quem atribui sua milagrosa sobrevivência) e se converter ao evangelho. Ele abriu o coração para mim:

— Decidi sair da Polícia Militar. Não dá para trabalhar lá dentro e ao mesmo tempo ser cristão. Vi cenas tristes no exercício da minha profissão, quando, por exemplo, detíamos o bandido e decidíamos se o mataríamos ou não. Votávamos, então, para ver se haveria a execução, que chamávamos de "bater foto", isto é, dar um tiro no peito.

Todos buscam a mesma coisa. O rico sabe dessa realidade. Por isso, consegue legitimar dentro do próprio sistema democrático o que um ditador não ousaria fazer. Entre suas tristes proezas, está a de manter o pobre em regime de opressão, como acusa Tiago.

98 | CONVULSÃO PROTESTANTE

O pobre é apanhado pelo rico por meio do instinto de sobrevivência. Ele precisa viver e o leva ao desespero ver o filho fora da escola, a mesa sem comida, as contas com atraso de pagamento. Para ter como prover o necessário para sua família, ele se sujeita aos piores salários, às condições de trabalho mais desumanas, à carga horária mais estafante. Na igreja, ora, a fim de que a "porta de trabalho" lhe seja aberta. Quando se abre, retorna para agradecer a Deus. Agradece, então, por viver quase como um escravo, o que, afinal, é melhor que morrer de fome. Era justamente essa uma das principais denúncias feitas por Tiago contra os ricos de seu tempo, em outro trecho de sua carta:

> Ouçam agora vocês, ricos! Chorem e lamentem-se, tendo em vista a desgraça que lhes sobrevirá. A riqueza de vocês apodreceu, e as traças corroeram as suas roupas. O ouro e a prata de vocês enferrujaram, e a ferrugem deles testemunhará contra vocês e como fogo lhes devorará a carne. Vocês acumularam bens nestes últimos dias. Vejam, o salário dos trabalhadores que ceifaram os seus campos, e que vocês retiveram com fraude, está clamando contra vocês. O lamento dos ceifeiros chegou aos ouvidos do Senhor dos Exércitos. Vocês viveram luxuosamente na terra, desfrutando prazeres, e fartaram-se de comida em dia de abate. Vocês têm condenado e matado o justo, sem que ele ofereça resistência.
>
> Tiago 5.1-6

Tenho viajado muito pelo Brasil. Por onde ando, faço as mesmas perguntas para quem me atende, seja no bar, no restaurante, na padaria, no aeroporto. As respostas são as mesmas.

— Eu gostaria de lhe fazer uma pergunta. Se você não quiser responder, por favor, não se preocupe. Não ficarei chateado.

— Tudo bem. — Quase invariavelmente ouço essa resposta.

— Quantas horas você trabalha por dia?

— Oito. — Essa é a resposta da maioria, mas já ouvi dez, doze e até mais.

— Quantos dias você trabalha por semana?

— Seis. Tenho uma folga por semana. Uma vez por mês descanso no domingo.

— Quanto tempo você gasta no trânsito?

— Quatro horas. — Já ouvi menos, mas, na maior parte do tempo, ouço respostas que apontam para os problemas de mobilidade urbana do país.

— Você tem direito a assistência médica?

— Não. — É a resposta da maioria.

— Você tem direito a vale-transporte?

— Tenho.

— Eles descontam do salário?

— Sim.

— Quanto você ganha por mês?

— Um salário mínimo.

Vejo pessoas trabalhado em pé, dedicadas a tarefas monótonas durante horas a fio, dando um lucro a seus patrões muito maior que o salário que ganham. Não se discute os problemas que enfrentam com a carga tributária do país e o excesso de burocracia. Sabemos, contudo, que não são poucos os que lucram muito e ao mesmo tempo se recusam a dar a seus empregados o pouco mais que não lhes faria diferença nenhuma. Esse pouco representaria muito para brasileiros endividados com lojas que oferecem crédito fácil, trabalhadores que se esforçam para pagar creche dos filhos e aluguéis incompatíveis com o que ganham. Fico aturdido.

Na véspera da Copa do Mundo de Futebol de 2014, realizada no Brasil, o Gabinete das Relações Sociais da Presidência da República chamou lideranças de movimentos sociais que faziam campanha contra a realização da competição no Brasil para participar de um encontro com o então ministro-chefe da Secretaria-Geral da Presidência, Gilberto Carvalho. A ideia era conter a população e evitar o retorno de manifestações como as que agitaram o país em junho de 2013. O ambiente estava profundamente tenso. Temi pelo pior, pois chegamos perto do confronto físico. O que me chamou a atenção foi o fato de a maioria dos presentes falar menos da Copa e mais sobre os problemas dos grupos que representavam. Lembrei-me das palavras atribuídas a Getúlio Vargas, no filme *Getúlio*, dirigido por João Jardim: "Em todos os meus anos de vida pública, nunca vi uma pessoa me procurar a fim de pedir alguma coisa para o Brasil".

Quando chegou minha vez, fiz meu desabafo: "Ministro, vejo no nosso país esses que emergiram da miséria trabalhando de oito a doze horas por dia, seis vezes por semana, gastando quatro horas diárias no trânsito, para receber no final do mês um salário mínimo. Essa gente não tem tempo para fazer sexo, ler, ter contato com a natureza, praticar um *hobby*, investir em si mesma, a fim de ascender socialmente". Fiz umas dez perguntas, discorrendo sobre a dificuldade da pessoa que tem o sapato sujo pela lama da favela compreender a realização da Copa do Mundo, com verba pública, num país marcado pela miséria.

O deputado federal Chico Alencar (PSOL) retrata, no livro *A rua, a nação e o sonho*, os motivos que levaram milhões de brasileiros a protestar nas ruas em 2013. Ele apresenta dados perturbadores sobre a condição de vida de milhões de trabalhadores brasileiros:

> No plano social, há certa mistificação na propalada melhoria das condições de vida da população pobre e remediada: 1) 80% dos novos empregos criados na última década são de até um salário mínimo e meio; 2) 33% dos que têm ocupação continuam sem direitos trabalhistas e previdenciários; 3) de acordo com o Dieese — com base em dados do IBGE e da última Pesquisa Nacional por Amostragem Domiciliar (Pnad) —, dos ocupados formais e informais no Brasil, 70% ganham até dois salários mínimos, e apenas 4,7% recebem entre cinco e dez salários mínimos. Hoje, quase metade dos rendimentos de uma família da chamada "nova classe média" é gasta com educação e saúde privadas. Rio de Janeiro e Brasília estão entre as cidades mais caras do mundo, mantendo legiões em situação de miserabilidade e mais vulneráveis a drogas devastadoras, como o *crack* — sem que o Estado estruture qualquer política de assistência e saúde mental.[8]

O reformador João Calvino denunciava com paixão e rigor os salários baixos e a condição de vida imposta pelos mais ricos aos pobres trabalhadores assalariados do século 16. Observe o tom de suas denúncias e imprecações:

> Quando, pois, tem um homem alguns a seu serviço, deve ele considerar: se eu estivesse no lugar deles, como gostaria de ser tratado? [...] Se eu contrato um homem pobre para trabalhar para mim e não lhe pago senão a metade, certo é que defraudo o seu labor. Se barganho com alguém para servir-me: pois bem, o dia do trabalho vos importará em tanto, mas essa diária será de tal modo reduzida que o pobre homem, após ter feito tudo o que podia, não terá de que sustentar-se.

E por quê? Verei, este homem não tem que fazer, não dispõe de meio nenhum de trabalhar, tem de passar pelas minhas mãos; eu o terei pelo que eu quiser.

Eis como fazem os ricos frequentemente, espreitam as ocasiões, a fim de reduzir à metade o ganho da pobre gente, quando não tem em que empregar-se. Oferecer-se-ão sofregamente para trabalhar, não têm outra preocupação que ganhar o necessário para viver, desde que achem onde; então, um ricaço perceberá a situação: este indivíduo está sem nada, a precisar de tudo; tê-lo-ei a meu serviço por um pedaço de pão, porque, a despeito de seus dentes, tem ele de aceitar a minha oferta, eu lhe pagarei meio salário, e ele ainda terá de ficar contente.

Quando, pois, usamos de tal rigor, ainda que não tenhamos retido o salário, há sempre crueldade e teremos defraudado a um pobre, e essa dissimulada cobertura de nada adiantará diante de Deus, que tenhamos desembolsado dinheiro já desde o primeiro dia. Importa saber é se o pobre homem está satisfeito. [...] Ora, pois que assim é, quando os pobres que tenhais empregado em obra vossa, e que tenham posto seu labor, seu suor e seu sangue a vosso serviço, não tenham sido assalariados como convém, e não os tenhais confortado e sustentado, se a Deus vingança pedem contra vós, quem vos será procurador, ou advogado, que vos possa livrar?[9]

A história da humanidade é marcada por enriquecimento ilícito. Homens, famílias, cidades e até mesmo nações se tornaram ricos por meio de deslavada exploração.

O rico e a criminalização da pobreza

Eu saía de uma reunião de oração quando meu telefone tocou. Era uma mulher pedindo que fosse ao enterro de um rapaz de 19 anos, morto na Favela do 48, em Bangu, no

Rio de Janeiro. O músico William de Souza Marins se dirigia para casa, no domingo, 18 de maio de 2008, por volta das seis horas da noite, a fim de se preparar para o culto na igreja Assembleia de Deus. No meio do caminho, deparou com a chegada de policiais militares do Grupamento de Ações Táticas (GAT) do 14º Batalhão de Polícia Militar (BPM) de Bangu. Com medo do tiroteio, William correu, mas acabou atingido na perna e caiu na calçada. Segundo testemunhas, ele disse a seus executores que era evangélico e inutilmente implorou para não ser morto. Foi executado com um tiro na cabeça. Policiais, em seguida, pegaram uma mochila, puseram dentro uma pistola 765, mais 158 papelotes de cocaína e uma granada, a fim de caracterizar a morte como "auto de resistência", o que, em linguagem técnica, significa morte em confronto com a polícia.

No enterro, vi a angústia da família pobre. Conversei longamente com os pais. Jovens, aos prantos, debruçavam-se sobre o caixão. O pai da namorada de William, também policial, me disse: "William era um ótimo rapaz. Eu jamais deixaria minha filha começar o namoro com alguém sem conhecer o pretendente. Quando, por algum motivo, falávamos com ele, aconselhando, sempre nos ouvia de cabeça baixa". Seu apelido era Sabiá, porque vivia cantando hinos de louvores a Deus. Um jovem me falou sobre o nível de seriedade com que William lidava com as apresentações musicais na igreja. Contou que ele costumava dizer para o grupo de louvor, composto por jovens pobres: "Quando cantamos na igreja, devemos ter como objetivo louvar a Deus, e não simplesmente fazer uma apresentação".

Voltei do enterro indignado. Procurei um advogado, o meu amigo João Tancredo, que foi presidente da Comissão de Direitos Humanos da seccional do Rio de Janeiro da

Ordem dos Advogados do Brasil (OAB/RJ) e que trabalha como voluntário para o Rio de Paz. Pedi que ele auxiliasse a família e entrasse na justiça com pedido de pagamento de indenização por parte do Estado. Também informei tudo que vi, ouvi e senti para o então jornalista do jornal *O Globo* Jorge Antonio Barros, que publicou o seguinte texto no *blog* Repórter de Crime, do *Globo Online*, no dia 24 de maio de 2008:

Barbárie
Um inocente é preso, julgado e condenado à morte por PMs
Na época da ditadura os jornais publicavam pequenas notas de pé de página informando ou desinformando que um jovem "subversivo" havia morrido atropelado em fuga, perseguido por agentes da repressão política. Os jornais não faziam por mal, mas não era nada disso. A informação era divulgada pelos órgãos de segurança que agiam em consonância com o que se passava nos porões do regime militar, em que o militante político era torturado até a morte e entrava automaticamente para as estatísticas de atropelamento.

Os tempos sombrios de violência que vivemos — tanto por parte dos criminosos como por parte de maus elementos do aparelho policial — nos levam de volta ao passado.

Os jornais de hoje também publicam notas de pés de página afirmando que mais um traficante foi morto em tiroteio com a polícia. E, na grande maioria das vezes, aplaudimos a ação enérgica da polícia porque afinal alguém está tomando alguma providência contra o crime encastelado nas áreas pobres da cidade. Não resta dúvida de que a ação policial, mesmo por meio de operações mal planejadas, é fundamental para mostrar a presença do Estado (poder público) em áreas dominadas pelos foras da lei de todo tipo. Mas nem sempre o que se lê numa nota de jornal é a expressão mais pura da verdade.

A TEOLOGIA DA RIQUEZA | **105**

Assim como ocorria no regime militar, os órgãos de segurança de hoje são rápidos e eficientes para divulgar sua versão à imprensa e os meios de comunicação muitas vezes lentos ou ineficientes para desmontá-la.

Cada vez mais policiais bandidos estão forjando apreensões de armas e drogas para justificar suas execuções.

É o que se pode concluir do Caso William (William de Souza Marins, de 19 anos) que foi executado com a pecha de traficante, mas ninguém duvida de que sua idoneidade moral era exemplar.

Mesmo assim ele foi preso, julgado e condenado à morte por policiais do Grupamento de Ações Táticas (GAT) do 14º Batalhão da Polícia Militar (Bangu), na tarde do domingo passado, dia 18 de maio de 2008. E para justificar sua morte, os policiais colocaram arma, granada e drogas na mochila dele. Há testemunhas que viram isso, mas temem serem também assassinadas.

Seu corpo só foi aparecer segunda-feira no Instituto Médico-Legal. William era um jovem dedicado à fé evangélica e à música cristã. Nunca teve passagem pela polícia e nem sequer qualquer envolvimento com o crime. E foi morto duas vezes de uma vez só.[10]

Na sequência do *post*, Jorge divulgou a manifestação que decidimos realizar na Cinelândia, no centro do Rio:

Rio de Paz faz manifestação contra a morte de inocente
Para impedir que o caso de William seja mais um a entrar para as estatísticas como um auto de resistência (morte em suposto confronto com a polícia), quando na verdade ele foi covardemente executado por agentes do Estado, o movimento Rio de Paz apoia a família e amigos do rapaz e convida a sociedade fluminense a participar de um ato público de protesto contra o crime praticado por PMs, marcada para as 18h da próxima segunda-feira, dia 26 de maio, na Cinelândia, em

frente à Câmara dos Vereadores do Rio de Janeiro, no Centro do Rio.

Participarão amigos e parentes do rapaz, além de representantes de entidades da sociedade civil e do movimento de defesa dos direitos civis.

Daquele local, um grupo de amigos do rapaz vai partir às 15h30m em direção ao quartel-general da PM, na Rua Evaristo da Veiga — a menos de 200 metros dali — onde entregará uma carta pedindo que a Polícia Militar investigue o caso com isenção, transparência e máxima urgência. Os manifestantes pedirão também a proteção das testemunhas que viram o jovem ser executado pelos policiais militares. Eu vou!

A manifestação foi realizada. Jorge apresentou o seguinte relato, postado no *Globo Online* daquela mesma semana:

Um canto de esperança para resgatar a memória de Sabiá
Depois de prestar seu depoimento em solidariedade ao amigo assassinado por PMs, o jovem ficou paralisado num canto, acuado, e sequer se animou a cantar em homenagem ao ex-companheiro de banda. Eu me aproximei dele suavemente. E perguntei o que estava acontecendo.

"Estou com medo e preocupado, acho que não devia falar nada porque os PMs estão ali, nos olhando", disse o jovem, como se estivesse fazendo algo errado.

Os PMs que estavam ali nos olhando não eram os que haviam praticado o ato criminoso, que impiedosamente matou o dono de uma voz maravilhosa, que amava os cânticos de louvor e tinha o doce apelido de Sabiá — William de Souza Marins, 19 anos, que foi preso, julgado e condenado à morte por dois policiais do 14º BPM (Bangu).

Tranquilizei o rapaz e, ao final da manifestação de protesto contra a morte de William, agora à noite, na Cinelândia, propus ao líder do movimento Rio de Paz, Antônio Carlos

A TEOLOGIA DA RIQUEZA | **107**

Costa, que fôssemos até os PMs que montavam guarda na praça para cumprimentá-los.

"Esquecemos de agradecer durante a manifestação que vocês estavam aqui também para nos proteger", disse ao sargento, chefe da guarnição, acompanhado de um cabo. Eles perceberam que falávamos sério, foram cordiais, disseram compreender sem qualquer problema o teor do ato público de protesto que reuniu cerca de 150 pessoas nas escadarias da Câmara de Vereadores do Rio.

Um oficial da PM, à paisana, que acompanhava a manifestação a distância, reconheceu que poucas vezes em sua carreira viu uma manifestação de protesto contra atos criminosos de policiais, e não contra toda a polícia. O que assistimos agora à noite na Cinelândia foi uma manifestação não apenas de solidariedade aos parentes e amigos da vítima, mas um ato de profunda pedagogia no cenário da guerra não convencional que vivemos nesta cidade, em que diariamente tombam inocentes e culpados. A pedagogia que precisamos aprender, sobretudo na área da segurança pública: a busca constante do diálogo por mais grave que seja uma situação de conflito.

A julgar pelos depoimentos de pastores, líderes comunitários e amigos da vítima, o jovem era mesmo inocente. Chorando, sua mãe, d. Sandra, lembrou que sempre lhe recomendava que não deixasse de levar documentos para apresentá-los no caso de uma abordagem policial. Dessa vez a identidade de William serviu apenas para evitar que ele fosse sepultado numa cova rasa de um cemitério de indigentes, sem identificação. Ele foi morto num domingo, e seu corpo, porém, só apareceu no dia seguinte no Instituto Médico-Legal, onde seu pai foi reconhecê-lo.

A pedagogia da mobilização para o protesto contra a morte de William se viu também num raro encontro entre a cúpula da Polícia Militar com integrantes de uma comissão formada pelo Rio de Paz, Viva Rio, OAB e parentes e amigos do rapaz, ontem à tarde, no auditório do quartel-general da

PM. O chefe de gabinete do comandante-geral, coronel Gilson Pitta, o coronel Braga, ouviu a todos com atenção e se prontificou a tomar as providências necessárias para a apuração do caso. Ele estava acompanhado do comandante do 14º BPM, coronel Da Silva, superior dos policiais envolvidos no episódio.

Os oficiais da PM receberam uma carta, na qual o presidente do Rio de Paz, Antônio Carlos Costa, pede que o caso seja investigado com total isenção e rapidez e os policiais acusados sejam afastados e punidos, e as testemunhas do caso tenham garantida sua integridade física e moral.

Durante o ato realizado nas escadarias da Câmara, amigos e parentes vestidos de preto — em sinal de luto — exibiram faixas e juntos recitaram o Pai-nosso, a oração universal, puxada pelo pastor Ebenézer, da Assembleia de Deus, de uma das comunidades pobres também marcadas pela violência. Como integrante da manifestação, senti que não era apenas mais um grito no vazio, mas um cântico de esperança de que seja feita justiça à morte de Sabiá.[11]

Também enviamos uma carta ao Comando Geral da Polícia Militar, em um encontro realizado no quartel-general da PM, no Centro do Rio.[12]

Será que a polícia agiria do modo como agiu naquela tarde de domingo numa favela se a operação policial fosse num bairro de classe média ou classe média alta? Como alguém do alto escalão do governo do estado do Rio de Janeiro disse em certa ocasião: "A morte na favela é diferente da morte na zona sul". Lembro-me de um funcionário da Secretaria de Segurança do Rio de Janeiro ter dito numa entrevista, a fim de justificar as mortes em operações policiais nas favelas do Rio de Janeiro: "Não se faz omelete sem quebrar ovos".

A TEOLOGIA DA RIQUEZA | 109

Faço duas perguntas: e se o "ovo" fosse seu filho? E se moradores de classe média tivessem de ser "quebrados" sistematicamente para que se pudesse oferecer à população do Rio o fim do tráfico de drogas? Vivemos num país no qual autoridades públicas não compreendem que mais importante que prender o bandido é preservar a vida de civis inocentes em operações policiais nas favelas. Isso tem de ser declarado, em favor, especialmente, daqueles que gritam e gemem enquanto enterram entes queridos mortos em operações policiais, mas também perante os ouvidos surdos e o coração impassível de milhões de brasileiros que ignoram o drama do morador de favela.

Todos os dias, milhares de pobres do mundo inteiro sofrem abuso de poder. Nada novo na história da humanidade. O texto bíblico mostra que já no primeiro século era assim, com ricos arrastando com violência pobres para o tribunal.[13] Cristãos e não cristãos pobres padeciam em suas mãos, e o drama dos seguidores de Jesus era ainda maior por confessarem sua fé num ambiente hostil a ela.

O foco do rico é a preservação e a ampliação de seu poderio econômico, sem a mínima perspectiva pública. Ele detém mais poder que a maioria da população e pode interferir na vida de milhões. Forçado a viver no mundo dos homens, com suas leis e instituições, o rico não só manipula o sistema a seu favor, mas também forja uma realidade e cria um sistema próprio que lhe permite viver e legitima suas práticas gananciosas. O sonho do rico é o Estado convertido a ele.

Ele consegue, portanto, declarar e bancar quem ensine que o mercado por si mesmo produz a justiça social, que o fim da exploração levaria a nação à bancarrota econômica, que a preocupação com o meio ambiente paralisaria a produção de riqueza, que a proteção do trabalhador inibiria novas contratações, que a guerra de natureza puramente expansionista e econômica seria necessária para a manutenção do progresso social do país, que usar mão de obra escrava na Ásia seria bom para a economia. Onde se vê exploração, o rico vê oportunidade de lucro e geração de riqueza. Onde se vê loucura, o rico vê espírito empreendedor. Onde se vê protesto contra a exploração do pobre, o rico vê ingenuidade de quem sonha com utopia. O excesso de dinheiro opera uma mutação no homem. É impressionante. Parece o *crack*: vicia e deforma.

Que mundo. O período do Iluminismo concebeu um sistema político de freios. Por meio da chamada divisão tripartite de poder — poderes executivo, legislativo e judiciário —, eliminamos, com muita imperfeição, bastante injustiça. Correndo por fora, contudo, o rico, de posse do poder que a tudo sujeita, perverte todas as relações institucionais, neutraliza a legislação, inventa regras e faz o mundo funcionar para ele. Como explicar a acumulação de riqueza, legitimada pelas mais fortes democracias do mundo, num planeta de milhões e milhões de excluídos? Como atesta o historiador britânico Tony Judt:

> Fechamos os olhos para os fatos: um aumento geral da riqueza total camufla desigualdades de distribuição. Trata-se de um problema típico das sociedades menos desenvolvidas: o crescimento econômico beneficia a todos, mas privilegia desproporcionalmente uma pequena minoria em condição de explorá-lo. [...] A disposição de admirar, e quase idolatrar, os ricos e poderosos, e desprezar, ou pelo menos negligenciar, as pessoas de condições precárias e pobres [...] [é] a maior causa universal da corrupção de nossos sentimentos morais.[14]

A TEOLOGIA DA RIQUEZA | **111**

Uma das formas mais eficazes de manter os milhões de pobres em sujeição é a capacidade do rico de usar o sistema de justiça criminal a seu favor. Tiago lembra: "Não são os ricos que oprimem vocês? Não são eles os que os arrastam para os tribunais?". Sempre foi assim. O rico compra a força que não possui, uma vez que tem apenas dois braços revestidos de osso e carne, para oprimir e silenciar. Podemos imaginar o sentimento de Tiago ao ver ricos cerceando a liberdade de culto dos cristãos; levando-os aos tribunais por nada, a fim de sua punição infligir medo aos demais e condenando quem exigia apenas o justo. Pergunto: de onde vinha a força para levar tanta gente à barra do tribunal? Por que o rico contava tanto com a ajuda dos tribunais? Qual seria sua reação se alguém ousasse mudar o sistema?

O professor de direito penal e criminologia Augusto Thompson mostra com bastante clareza como o sistema de justiça criminal no Brasil protege o rico e pune o pobre. A radiografia que apresenta impressiona:

> Noventa e cinco por cento dos presos pertencem à classe social mais baixa. Desse dado, a criminologia tradicional infere a conclusão de que a maioria dos criminosos é pobre e, logo, a pobreza se apresenta como traço característico da criminalidade. [...] Se levarmos em conta, contudo, que os presos representam um percentual ínfimo em relação ao total de criminosos, a equação referida desfaz-se como castelo de areia.[15]

Você tem ideia de quantos dos que cometem a série de delitos apresentados por Thompson vão parar na cadeia? O autor responde:

> Isso é que permite permanecerem fora da área penal hipóteses como as de jogadas de bolsas de valores; não pagamento

de empréstimos estatais obtidos mediante oferecimento de garantias inexistentes ou de valor muito inferior àquele por que foram avaliadas; recebimento de subsídios governamentais com contradição com o fim a que se destinam; concorrências de cartas marcadas; jogos contábeis; transações fictícias entre firmas de um mesmo conglomerado; operações triangulares; especulação através de retenção de mercadorias; evasão de impostos; subida artificial de preços; esmagamento de empresas concorrentes, de sorte a obter o domínio do mercado e imposição de condições escorchantes; fraudes ao consumidor; anúncios falsos; enfim, toda a imensa gama de operações aptas a permitir a auferição de pingues lucros e que caracterizam a retirada de bens e direitos dos outros (em geral, largas faixas da população) contra a vontade deles e sem conhecimento de estarem sendo defraudados. [...]

Sabendo que os membros das classes inferiores tendem a lidar com as coisas em espécie (objetos, dinheiro) e as pessoas das classes média e alta com seus símbolos (títulos, papéis) percebe-se com nitidez que espécie de ladrões mais provavelmente cairão na teia do aparelho de repressão criminal e quais os que passarão incólumes pelos seus buracos.[16]

Diante disso, surge a pergunta: a quem interessa a manutenção do sistema?

Não quero dizer, com isso, que não haja pobres que mereçam estar presos. Minha experiência no campo da segurança pública do Rio de Janeiro não me permite manter o romantismo de alguns, que inculcam no pobre o sentimento de vítima do sistema, chegando a ponto de chamar traficante de "herói social". Sim, ouvi alguém que debatia comigo numa escola pública de São Gonçalo dizer isso, para a perplexidade de jovens adolescentes que, ao final do encontro, falaram dos horrores que enfrentam em suas comunidades controladas pelo tráfico. Sei de pobre que tortura, estupra, incinera e desaparece com o corpo da vítima.

O outro lado da história, entretanto, é o pobre que mergulhou no crime e que vive numa nação que dificulta sua reintegração social. O trabalho evangelístico com um famoso traficante do Rio de Janeiro foi mais uma evidência desse fato:

— Meu amigo, vamos recomeçar. Larga isso. Você está vendendo morte. Não morra por tão pouco. Houve pessoas que deram sua vida pela liberdade. Abraçaram causas belas e justas. Você vai morrer por isso? Se você se entregar, vou com você até a delegacia e o ajudo no que for possível.

— Eu não aguento mais essa vida. Aqui não tenho amigos. Todos desconfiam de todos. Mas, se fizer o que o senhor está falando, eu morro na prisão. Tenho crimes nas costas, não nego. Quem comanda a venda de drogas nesta comunidade sou eu. O problema é que colocaram na minha conta crimes que não pratiquei. Eles me acusam de comandar assaltos no Rio de Janeiro, quando não preciso disso para viver. Temo parar numa solitária e, ali, ir morrendo aos poucos. Prefiro morrer de uma vez só.

Essa foi a síntese dos muitos diálogos que mantive com ele, em meio a muito anúncio do evangelho e oração. Não há o que justifique seu envolvimento com o crime. Fui orientado por um policial tarimbado, para quem não mencionei o nome do traficante, que não deveria dar a ele nenhum promessa de proteção no sistema prisional caso ele se entregasse, porque não teria como arcar com esse tipo de responsabilidade. Há traficantes que têm verdadeiro horror de "serem forjados" pela polícia, após largarem o tráfico, ou pior, serem pegos na rua e vendidos para facções rivais, nas quais, como em todas, a morte nunca é breve.

114 | CONVULSÃO PROTESTANTE

Durante um bom tempo, trabalhei nas carceragens da Polícia Civil do Rio de Janeiro, levando ajuda humanitária aos presos. Naquele lugar, testemunhei o que fez mudar por completo meu ponto de vista sobre prisão. Primeiro, descobri que há homens inocentes que não deveriam estar ali. Ouvi um policial experiente me dizer: "Não gosto de bandido, mas sei que aí dentro há homens que não praticaram crime algum". Segundo, lidei muito, na companhia dos voluntários do Rio de Paz, com homens cuja vida não representa nenhuma ameaça à ordem pública. Durante o período que passamos dentro daquelas celas, vimos, só para mencionar dois casos, um rapaz que havia roubado um bacalhau e um homossexual cujo crime foi ter lançado uma pedra num carro, após ter sido xingado por alguém que estava dentro.

Claro que também conheci homens que fizeram o que é vergonhoso e trouxeram desgraça à vida de pessoas. Vivem desejosos, entretanto, de nunca mais voltar a praticar o que os levou à prisão. Presenciei muitas lágrimas derramadas, de pessoas que precisam crer no perdão divino e na possibilidade de serem regeneradas pelo amor e o poder de Deus.

Há indivíduos nas prisões que certamente não vão mudar nunca, isso não há como negar. Quem, contudo, está em condição de separar, em todos os casos, o joio do trigo? Como justificar a tortura, as celas imundas, o calor insuportável, a superlotação? Quem lucra com isso? Por conta dos prováveis incorrigíveis vamos praticar o que é desumano e não deve ser feito nem mesmo contra a vida de grandes criminosos? E mais: vamos deixar aquele inferno intocado somente pelo fato de estarem ali dentro negros, pardos e pobres?

O rico e o verdadeiro evangelho

Tiago apresenta o rico como alguém que fala mal de Cristo: "Não são eles que difamam o bom nome que sobre vocês foi invocado?" (2.7). Isso revela a miséria espiritual em que viviam os ricos daquela época; miséria essa que consistia em não ver excelência em Jesus, "o bom nome". A principal característica do santo é amar Cristo. Significa olhar para sua revelação, seu nome, a forma mediante a qual Deus se revelou aos homens na pessoa do seu Filho... e amar. A Igreja não deveria honrar homens como esses, uma vez que eles insultavam aquele que é santo e que havia se identificado de tal modo com ela a ponto de permitir que levasse o seu nome como sobrenome. Os discípulos de Cristo chamam-se *cristãos*.

Muito tem sido dito sobre quanto a religião pode ser usada para justificar as estruturas do mal, atribuindo a elas até mesmo natureza metafísica. Não são poucos os que também denunciam quanto a Igreja já contribuiu para que milhões de oprimidos se mantivessem em passiva submissão aos sistemas de exploração. Quem pode negar que esse protesto é, de fato, justo? Quem são aqueles que costumam estar ao lado desse conservadorismo religioso, avesso à reforma e à revolução, e completamente impermeáveis à mensagem que solapa os fundamentos da opressão institucionalizada? Respondo: os donos do capital, que só apoiarão mudanças quando elas lhes forem convenientes. Não é de surpreender que encontremos muitos desses dominicalmente nos bancos de grandes igrejas, ou mesmo nos púlpitos, aparentando possuir alma profundamente religiosa.

No Brasil, grande parte dos tais tem belas capelas em suas fazendas. Eles querem os reinos do mundo e o reino de Deus. Podemos encontrá-los investindo dinheiro em construções de templos, porque tudo lhes é muito conveniente. É interessante para o rico pacificar sua consciência acusadora com a compra de perdão. Pense no que pode representar para eles encontrar quem pregue o que lhes permite ganhar a terra e o céu. Seu padrão de vida e seus valores permanecem intactos e, com isso, podem dormir em paz. São muitos os líderes religiosos que jogam com esse tipo de coisa. O que causa espanto é ver o bizarro ser praticado pelo rico na perspectiva de chamar atenção da divindade. Como nos traz à memória o teólogo Alister McGrath:

> No início do século XVI, surgira uma teologia de purgatório popular que enfatizava a extensa natureza desse refinamento no purgatório e os horrores dele — e, ao mesmo tempo, oferecia vários caminhos rápidos para atravessar o processo. [...] O custo da indulgência se ajustava à capacidade do indivíduo de pagar por tantos benefícios espirituais quanto esperava assegurar. De certa forma, a maioria das pessoas gostava dessa ideia, vendo-a como um modo esperto de desfrutar o pecado sem se preocupar demais com as supostas consequências eternas. A experiência longa no purgatório estava estritamente reservada aos que não planejavam o futuro.[17]

É igualmente interessante para o rico apoiar a manutenção de uma cultura religiosa que endossa e concede chancela divina aos valores que lhe são caros. É bastante frágil a realidade socialmente construída, como mostrou tão bem o sociólogo e teólogo Peter Berger em seu livro *A construção social da realidade*. Daí a importância do apelo à religião para chamar o que é relativo de absoluto.

> A legitimação da ordem institucional enfrenta também a contínua necessidade de manter encurralado o caos. Toda realidade

social é precária. Todas as sociedades são construções em face do caos. A constante possibilidade do terror anômico torna-se atual sempre que as legitimações que obscurecem esta precariedade são ameaçadas ou entram em colapso.[18]

Como manter durante séculos valores culturais tão irracionais e injustos, embora convenientes para quem lucra com eles? O que manteve o sistema da segregação racial? De onde veio parte do suporte intelectual do regime da escravidão? Por que milhões de mulheres andam de burca? Atribuir fundamento teológico ao que é injusto, transformado em valor cultural inegociável, tem servido para construir um mundo dentro do qual o ser humano não consegue viver.

O próprio Adolf Hitler saiu em busca de uma teologia que justificasse o nazismo. O historiador francês Jean-Jacques Chevalier apresenta o sonho nacional-socialista num parágrafo assustador, entrecortado por frases tiradas do livro *Mein Kampf* [Minha luta], escrito por Hitler:

> O Estado deverá, pois, velar para que cesse absolutamente nova mestiçagem. Que os tolos lancem altos brados, que protestem, gemendo, contra a ofensa aos sacrossantos direitos do homem! "Não, o homem só tem um direito sagrado, que é ao mesmo tempo o mais santo dos deveres, o de velar para que seu sangue permaneça puro, para que a conservação do que há de melhor na humanidade torne possível um desenvolvimento mais perfeito desses seres privilegiados". O matrimônio, mergulhado na decadência por uma adulteração contínua da raça, recuperará, graças ao Estado racista, "a santidade de uma instituição destinada a criar seres à imagem do Senhor, e não monstros intermediários entre o homem e o macaco".[19]

Para o rico, como também para tantos outros tipos de pessoas, pode ser interessante apoiar uma instituição que ajuda a manter seus filhos longe das drogas, que estimula a mulher casada a não cometer adultério, que não condena a acumulação de capital. Como a religião pode servir ao rico! Nem sempre ele lançará impropérios contra a divindade. Sabemos de ricos que procuram o templo para lavar o nome, embora o coração continue imundo. Uma igreja pode ajudar a viabilizar negócios, criar currais eleitorais e dar aura de respeitabilidade a indivíduos gananciosos. Não se surpreenda se, ao chegar ao templo, encontrar no estacionamento carros de luxo, que menos de um por cento da população brasileira pode adquirir. Como Tiago nos ensina, o milagre não está no fato de o rico ir à sinagoga.

Por que nos dias de Tiago os ricos blasfemavam contra Cristo? Por que naquele tempo eles foram encontrados combatendo a fé cristã? Primeiro, é claro, pelo fato de isso não lhes causar grandes embaraços; afinal, estavam lidando com uma minoria, considerada seita do judaísmo, uma religião insignificante. No caso dos simpatizantes ricos do judaísmo, o cristianismo era a pura distorção da verdade. Num mundo como aquele, o candidato à presidência da República não precisaria se passar por bom cristão para ganhar votos. (Abro parêntese para dizer que nunca vou entender um pastor parar o culto para passar a palavra a um candidato a cargo público que não acredita em nada do que está sendo feito durante o período de adoração. Com isso, dá oportunidade para que o ouçam falar sobre um deus a quem ele nega todos os dias com as suas obras. Falar sobre um Deus que você não conhece, como se o conhecesse, é um embuste, facilmente percebido pelo cristão maduro.)

A TEOLOGIA DA RIQUEZA | **119**

Em segundo lugar, blasfemar às vezes tinha seus dividendos. Pensando nos dias de hoje, pode ser bem conveniente falar mal do cristianismo, quando isso passa a ser considerado pela elite pensante sinal de "independência de espírito" e ruptura com o "estágio infantil do desenvolvimento da alma do homem ocidental". Nessas horas, observa-se a falta de integridade intelectual dos que desdenham de uma fé que jamais pararam para examinar. Isso os leva a atribuir ao cristianismo o que não pode ser encontrado no evangelho, que nada mais representa do que aquilo que pastores, padres e teólogos puseram na boca de Deus.

Há um terceiro ponto que devemos abordar, possivelmente mais importante do que os dois já mencionados. O golpe que o evangelho desfere nas pretensões dos ricos. Ao se analisar tudo o que vimos neste livro até este ponto, percebemos que as ênfases da pregação de Tiago não serão bem vistas pela maioria deles.

O que há de tão ofensivo para o rico na mensagem de Cristo? A verdade é que tudo é um escândalo para os que detêm o poder econômico.

1. *Cristo dizer que o rico dificilmente entrará no reino de Deus*. "Então Jesus disse aos discípulos: 'Digo-lhes a verdade: Dificilmente um rico entrará no Reino dos céus'" (Mt 19.23). Uma afirmação como essa dá margem a um pregador declarar do púlpito que a situação do rico é desesperadora, e que pode ser que haja na igreja pessoas que estejam enganadas quanto ao seu estado espiritual.

2. *Cristo chamar o rico para se arrepender de seus pecados*. Isso pode levá-lo a entender que o cristianismo afirma que sua vida é uma fraude, que ele é rico às custas do sangue e do suor do pobre, que ele faz parte de uma espécie de cadeia alimentar, na qual se alimenta dos humildes da terra.

120 | CONVULSÃO PROTESTANTE

O cristianismo sempre vai procurar levar o rico a dizer: "Olha, Senhor! Estou dando a metade dos meus bens aos pobres; e se de alguém extorqui alguma coisa, devolverei quatro vezes mais" (Lc 19.8). Foi o que o rico Zaqueu disse a Jesus. Ricos podem ser salvos, mas não de acordo com os próprios termos, comprando pastores e ameaçando transferir-se para outra igreja se o conteúdo da pregação não mudar.

3. *Cristo dizer que o rico oferta na igreja do que não lhe faltará.* Tais ofertas nem cócegas farão no que tem investido em paraíso fiscal, e tudo isso num mundo no qual não falta obra de misericórdia para a igreja fazer:

> Jesus sentou-se em frente do lugar onde eram colocadas as contribuições, e observava a multidão colocando o dinheiro nas caixas de ofertas. Muitos ricos lançavam ali grandes quantias. Então, uma viúva pobre chegou-se e colocou duas pequeninas moedas de cobre, de muito pouco valor. Chamando a si os seus discípulos, Jesus declarou: "Afirmo-lhes que esta viúva pobre colocou na caixa de ofertas mais do que todos os outros. Todos deram do que lhes sobrava; mas ela, da sua pobreza, deu tudo o que possuía para viver".
>
> Marcos 12.41-44

4. *Cristo dizer que o rico já tem a sua consolação* (Lc 6.24), que haverá de desfrutar até os 70, 80 anos de idade, num mundo incerto no qual subitamente ele pode passar a invejar a vida do seu motorista:

> Então [Jesus] lhes contou esta parábola: "A terra de certo homem rico produziu muito. Ele pensou consigo mesmo: 'O que vou fazer? Não tenho onde armazenar minha colheita'. Então disse: 'Já sei o que vou fazer. Vou derrubar os meus celeiros e construir outros maiores, e ali guardarei toda a minha safra e todos os meus bens. E direi a mim mesmo: Você tem grande

A TEOLOGIA DA RIQUEZA | **121**

quantidade de bens, armazenados para muitos anos. Descanse, coma, beba e alegre-se'. Contudo, Deus lhe disse: 'Insensato! Esta mesma noite a sua vida lhe será exigida. Então, quem ficará com o que você preparou?' Assim acontece com quem guarda para si riquezas, mas não é rico para com Deus".

Lucas 12.16-21

5. *Cristo chamar seus discípulos para viver em grande independência em relação ao rico.*

Então Jesus disse ao que o tinha convidado: "Quando você der um banquete ou jantar, não convide seus amigos, irmãos ou parentes, nem seus vizinhos ricos; se o fizer, eles poderão também, por sua vez, convidá-lo, e assim você será recompensado. Mas, quando der um banquete, convide os pobres, os aleijados, os mancos, e os cegos. Feliz será você, porque estes não têm como retribuir. A sua recompensa virá na ressurreição dos justos".

Lucas 14.12-14

Ninguém está sendo estimulado por Cristo a não ter vida social. Muito menos a deixar de se relacionar com parentes e amigos. Ele mesmo amou os seus e manteve amizade com os apóstolos. O que ele faz é nos chamar para andar com os oprimidos e sofredores deste mundo. Buscarmos mais a companhia do pobre que a do rico. Todo rico, ao ter contato com a igreja, deveria saber que dentro dela ele não tem a mesma autoridade de que desfruta na empresa da qual é dono.

6. *Cristo dizer que no reino vindouro haverá completa inversão.* Inversão essa que a mais radical revolução do proletariado não poderia proporcionar: o rico ficará pobre, e o pobre ficará rico. A história do rico e Lázaro, que está entre as menos presentes nos púlpitos do mundo inteiro, ensina essa lição, que faz o rico ranger os dentes:

Havia um homem rico que se vestia de púrpura e de linho fino e vivia no luxo todos os dias. Diante do seu portão fora deixado um mendigo chamado Lázaro, coberto de chagas; este ansiava comer o que caía da mesa do rico. Até os cães vinham lamber suas feridas.

Chegou o dia em que o mendigo morreu, e os anjos o levaram para junto de Abraão. O rico também morreu e foi sepultado. No Hades, onde estava sendo atormentado, ele olhou para cima e viu Abraão de longe, com Lázaro ao seu lado. Então, chamou-o: "Pai Abraão, tem misericórdia de mim e manda que Lázaro molhe a ponta do dedo na água e refresque a minha língua, porque estou sofrendo muito neste fogo".

Mas Abraão respondeu: "Filho, lembre-se de que durante a sua vida você recebeu coisas boas, enquanto que Lázaro recebeu coisas más. Agora, porém, ele está sendo consolado aqui e você está em sofrimento. E além disso, entre vocês e nós há um grande abismo, de forma que os que desejam passar do nosso lado para o seu, ou do seu lado para o nosso, não conseguem".

Ele respondeu: "Então eu te suplico, pai: manda Lázaro ir à casa de meu pai, pois tenho cinco irmãos. Deixa que ele os avise, a fim de que eles não venham também para este lugar de tormento".

Abraão respondeu: "Eles têm Moisés e os Profetas; que os ouçam".

"Não, pai Abraão", disse ele, "mas se alguém dentre os mortos fosse até eles, eles se arrependeriam".

Abraão respondeu: "Se não ouvem a Moisés e aos Profetas, tampouco se deixarão convencer, ainda que ressuscite alguém dentre os mortos".

Lucas 16.19-31

7. *Cristo dizer que o rico deve dar dinheiro.* Veja que conselho Cristo deu a um rapaz endinheirado, que afirmava cumprir os mandamentos da Lei de Moisés: "Falta-lhe ainda

A TEOLOGIA DA RIQUEZA | **123**

uma coisa. Venda tudo o que você possui e dê o dinheiro aos pobres, e você terá um tesouro nos céus. Depois venha e siga-me" (Lc 18.22). Isso é o que o evangelho demanda em todos os casos? Certamente, não. Mas haveria alguma aplicação do texto a ser feita aos dias de hoje? Pode o rico entrar no reino de Deus recusando-se a compartilhar do que tem com o pobre?

8. *Cristo proclamar que o rico não pode ser mais fiel ao lucro que a Deus.* "Nenhum servo pode servir a dois senhores; pois odiará um e amará outro, ou se dedicará a um e desprezará outro. Vocês não podem servir a Deus e ao Dinheiro" (Lc 16.13).

9. *Cristo dar o próprio exemplo, de alguém rico que se fez pobre a fim de estender salvação a milhões de vidas humanas.* "Pois vocês conhecem a graça de nosso Senhor Jesus Cristo que, sendo rico, se fez pobre por amor de vocês, para que por meio de sua pobreza vocês se tornassem ricos" (2Co 8.9).

Pergunto: onde se pregam os nove pontos que acabamos de ler? O que essas verdades bíblicas causam na alma do rico? Quais são as implicações do que acabamos de ver para as nossas ideologias políticas? Quantos ricos suportariam permanecer em uma igreja cujo pregador expõe esse tipo de verdade, fazendo ao mesmo tempo aplicações práticas precisas do que está ensinando? Como imaginar que a Igreja pregue essa mensagem sem ser perseguida? Como uma igreja que acredita nesse tipo de coisa pode se alinhar aos aristocratas conservadores? Em que país a igreja que anuncia esse tipo de evangelho não verá como necessário pregar a reforma da sociedade?

CAPÍTULO 6

Discipulando e confrontando o rico

DIANTE DE TUDO QUE foi exposto até aqui, uma dúvida surge naturalmente: como devemos nos relacionar com o rico? Ampliemos a pergunta: qual é o ponto de vista bíblico sobre a concentração de renda? Deve a Igreja ter como pauta o combate à desigualdade social? Como devemos lidar com o poder econômico?

A Igreja precisa de muita independência de pensamento se quiser responder, conforme os ideais do evangelho, às questões impostas pela riqueza. Caso se deixe aprisionar intelectualmente por pressupostos de direita ou de esquerda, cometerá graves injustiças e deixará de apresentar respostas que primam pela dialética que produz tanto justiça quanto, por que não dizer, prosperidade material. Não podemos ouvir Marx ou Adam Smith mais que a Cristo. O problema é que há cristãos que são mais liberais ou marxistas que cristãos.

Precisamos, portanto, evitar os extremos, sempre presentes nas discussões sobre desigualdade social. Há o ódio ao rico, que nos leva a tratá-lo como se, em todos os casos, ele fosse necessariamente inimigo do pobre. Por outro lado, há a condescendência com o rico, que nos leva a tratá-lo como se, em todos os casos, ele fosse imprescindível para o pobre. Há o combate à concentração de renda mais movido pela inveja despertada pelo rico que pela compaixão despertada pelo pobre. Há a luta contra a desigualdade social mais movida pela maneira ingênua de ajudar o pobre que pela forma inteligente de contar com a contribuição do rico. Há a tentativa de acabar com o rico para emancipar o pobre. Há a indiferença com a espoliação do pobre em nome da liberdade do rico. Há o sonho igualitário da sociedade sem classes, que ignora o esforço e o mérito. Há o sonho da heterogeneidade social, que desconhece a exploração e a miséria.

Apesar de todas essas ressalvas, que visam a nos chamar para um compromisso mais radical com os ideais da justiça do que com os ideais de direita e esquerda, não podemos perder de vista o seguinte fato: não há dúvida de que as Escrituras falam bastante sobre as tentações que são peculiares à vida do rico, e do perigo que esse ser tão poderoso pode representar tanto para a vida de quem o cerca quanto para a sociedade como um todo. Nesse sentido, gostaria de analisar a relação da Igreja com o rico à luz de duas passagens centrais do Novo Testamento.

Ética privada e riqueza

O apóstolo Paulo escreveu duas cartas a um colaborador de seu ministério, Timóteo, nas quais dá uma série de orientações. Essas epístolas foram reconhecidas como divinamente inspiradas e incluídas na Bíblia. A primeira delas contém um trecho que podemos considerer o *locus classicus* da ética da riqueza no Novo Testamento.

> De fato, a piedade com contentamento é grande fonte de lucro, pois nada trouxemos para este mundo e dele nada podemos

DISCIPULANDO E CONFRONTANDO O RICO | **127**

levar; por isso, tendo o que comer e com que vestir-nos, estejamos com isso satisfeitos. Os que querem ficar ricos caem em tentação, em armadilhas e em muitos desejos descontrolados e nocivos, que levam os homens a mergulharem na ruína e na destruição, pois o amor ao dinheiro é a raiz de todos os males. Algumas pessoas, por cobiçarem o dinheiro, desviaram-se da fé e se atormentaram com muitos sofrimentos. [...]

Ordene aos que são ricos no presente mundo que não sejam arrogantes, nem ponham sua esperança na incerteza da riqueza, mas em Deus, que de tudo nos provê ricamente, para a nossa satisfação. Ordene-lhes que pratiquem o bem, sejam ricos em boas obras, generosos e prontos a repartir. Dessa forma, eles acumularão um tesouro para si mesmos, um firme fundamento para a era que há de vir, e assim alcançarão a verdadeira vida.

1Timóteo 6.6-10,17-19

O início desse trecho é uma resposta irônica àqueles que usam a religião para ganhar dinheiro. Veja o trecho que vem imediatamente antes do que acabamos de ler:

Se alguém ensina falsas doutrinas e não concorda com a sã doutrina de nosso Senhor Jesus Cristo e com o ensino que é segundo a piedade, é orgulhoso e nada entende. Esse tal mostra um interesse doentio por controvérsias e contendas acerca de palavras, que resultam em inveja, brigas, difamações, suspeitas malignas e atritos constantes entre aqueles que têm a mente corrompida e que são privados da verdade, os quais pensam que a piedade é fonte de lucro.

1Timóteo 6.3-5

Assim, vemos que "De fato, a piedade com contentamento é grande fonte de lucro" é uma resposta a "os quais pensam que a piedade é fonte de lucro". Uma vida piedosa é a vida em comunhão com Deus. Muitos participam dos atos de adoração pensando nos benefícios temporais que podem auferir por meio da religiosidade mais focada no apreço humano que no prazer divino. Fazer-se passar por religioso pode, como vemos em nossos dias, realmente dar dinheiro. Ao pensar na prática da banalização do sagrado, o apóstolo Paulo não deixa de reconhecer, a fim de avultar a insensatez dos que usam o nome de Deus em vão, o imenso retorno pessoal que advém da comunhão em amor com Deus, que consiste em ser transportado pelo Espírito Santo para sentar-se à mesa com Deus e participar de seu banquete. Tem gente que procura essa comunhão íntima.

O conceito cristão de *felicidade* está inteiramente presente nesta expressão espantosa: "piedade com o contentamento". A palavra original no grego que foi traduzida por "contentamento" é *autarkeia*, que significa "independência em relação às circunstâncias da vida".[1] O que temos aqui? Um homem que fixou seus afetos em Deus por ver excelência no ser divino e, por isso, o adora. Pelo fato de haver tornado Deus o supremo bem de sua vida, desenvolve grande espírito de autonomia em relação a este mundo. Ele reconhece apenas um bem que não pode perder, o único que o faz se curvar em santa e submissa adoração. Qual é sua maior certeza na vida? Que ninguém pode privá-lo desse bem. Ele pertence ao amado da sua alma e o amado da sua alma a ele pertence. Felicidade é amar o que mais se deve amar sem medo de ser rejeitado pelo objeto do seu amor. Infelicidade é adorar o que não se deve adorar e que se teme perder. O nome disso? Escravidão. Morrer por nada.

O apóstolo Paulo pensa no que tanto amamos neste mundo, pelo que somos capazes de dar a vida e do que forçosamente teremos de nos separar um dia: "... pois nada trouxemos para este mundo e dele nada podemos levar". O que possuímos em termos de bens materiais não é metafisicamente nosso, não veio conosco quando entramos na vida, mas foi acrescido depois. Pouco ou muito pode ser acrescentado à nossa vida após o nosso nascimento, mas, seja como for, o que nos foi concedido será um dia separado de nós. Cedo ou tarde, de modo súbito ou esperado, todos teremos de nos separar de tudo o que temos e que, possivelmente, viemos a amar muito. Roupas, sapatos, anéis, relógios e tudo o mais irão parar no corpo de outros. Em suma, é como diz John Stott: "Com relação às possessões do mundo, nossa entrada e nossa saída são idênticas. A vida na terra é uma curta peregrinação entre dois momentos de nudez".[2]

Uma característica do cristianismo é a tendência de levar os que o seguem a ver os detalhes da vida à luz da eternidade. O cristão sempre parte para a análise do que quer que seja tomando como base os grandes fatos da existência humana e sua relação com o Criador. Após o que havia acabado de considerar, Paulo faz uma aplicação prática inevitável e irresistivelmente lógica: "... tendo o que comer e com que vestir-nos, estejamos com isso satisfeitos".

A providência divina, do ponto de vista das posses materiais, é bastante desigual. Chegamos nus a este mundo, porém uns são postos em berços de ouro e outros dividem o espaço da cama com ratos. Paulo pensa nos que convivem ou temem conviver com uma providência aparentemente avarenta. Essas pessoas têm apenas o suficiente para manter a energia do corpo e cobri-lo. Como compreender esse tratamento diferente oferecido pela providência divina?

Primeiro, como extraordinária demonstração do cuidado divino, que nos permite viver neste planeta. Isso não é pouco; significa que o Deus que cuida dos lírios do campo e dos passarinhos também zela por nós. Segundo, ter o suficiente para viver deve ser visto sob a perspectiva das grandes verdades sobre as quais o apóstolo Paulo falou nos versículos anteriores. Quem vê a vida com os olhos do cristianismo não pode mergulhar em depressão quando se vê privado justamente daquilo que o próprio cristianismo vê como dispensável. Qual deve ser a resposta ao pouco que nos permite viver? Mais uma vez o apóstolo Paulo usa a palavra *contentamento*, que tem o sentido de gratidão a Deus, independência em relação aos bens materiais e uso do cérebro. Conforme ressalta John Stott: "O que Paulo está definindo não é o *maximum* que é permitido para a vida do crente, mas o *minimum* que é compatível com o contentamento. [...] Ele não está advogando austeridade ou ascetismo, mas contentamento no lugar de materialismo e cobiça".[3]

Nesse sentido, vale a pena trazermos à mente a lembrança feita pelo Comitê de Lausanne para a Evangelização Mundial, que chama cristãos do mundo inteiro para adotar um estilo de vida simples num mundo em que prolifera a miséria: "Resolvemos renunciar ao desperdício e opormo-nos à extravagância em nossa vida pessoal, em matéria de roupas e moradia, de viagem e templos. Também aceitamos a distinção entre necessidades e luxo, *hobbies* criativos e símbolos de *status* vazio, modéstia e vaidade, celebrações ocasionais e o nosso dia a dia, e entre o serviço a Deus e a escravidão à moda".[4]

A loucura humana não tem limite. Num mundo como o nosso, caracterizado por fatos sobre a condição humana acerca dos quais não há dúvida (que a vida é dura, curta e incerta), há pessoas cuja meta de vida é enriquecer. Sobre isso, Paulo é direto: "Os que querem ficar ricos caem em tentação, em armadilhas e em muitos desejos descontrolados e nocivos, que levam os homens a mergulharem na ruína e na destruição". Ele fala sobre querer ficar rico, e, aqui, é importante chamarmos a atenção para o que ele não está dizendo. Ele não está estimulando os cristãos a não trabalhar, não sonhar e não empreender. Muito menos a se sentir culpados caso prosperem como consequência do trabalho árduo e honesto. Sua preocupação é com o homem que estabeleceu como meta da vida apenas enriquecer.

Querer ficar rico é sintoma de incredulidade e insensatez. Significa ambicionar visibilidade aos olhos dos homens em vez de aprovação aos olhos de Deus. Denota buscar segurança no dinheiro em vez de buscar segurança no Criador. Representa a loucura de quem ainda não avaliou o tamanho de seus problemas nem a precariedade da riqueza como solução para seus conflitos. Querer ficar rico é o exato oposto de querer ser santo.

O pobre e a classe média também pecam. Paulo está falando sobre as ambições de quem não é rico. Pode acontecer, portanto, de aquele que profetiza contra o rico desejar estar no seu lugar. Para esse, vale a lembrança do livro de Provérbios: "O fiel será ricamente abençoado, mas quem tenta enriquecer-se depressa não ficará sem castigo" (Pv 28.20). Quando um homem chega ao ponto de ambicionar a riqueza, sua alma já se encontra enredada pela incredulidade, cuja característica principal é duvidar do caráter de Deus. O apóstolo Paulo enfatiza o fato de que tudo isso expõe os homens a todo tipo de desgraça espiritual. Eles caem em tentações e ciladas. É impossível tomar o caminho da ambição e escapar ileso.

Primeiro, essa pessoa se expõe a inclinações malignas. Ela está mais exposta a matar, mentir, roubar, enganar e corromper para alcançar seu objetivo. O dinheiro é um ídolo que exige grandes sacrifícios de seus adoradores. É interessante notar que, até esse ponto, Paulo não está falando sobre o rico; ele descreve a vida justamente daquele a quem o rico costuma usar para alcançar seus objetivos gananciosos. O rico costuma ser o corruptor que depende de corruptos que não são ricos. Em seguida, o apóstolo fala sobre "armadilhas". O desejo de riqueza leva o homem a comer a isca sem levar em consideração o anzol. As armadilhas são o que o aprisiona, a perda da liberdade de viver para o que é justo e bom, que pode levá-lo também a inúmeras perdas temporais. Esse homem, ao cair nessas armadilhas, pode perder família, saúde, reputação e estima de amigos, expondo-se a terminar a vida assassinado ou preso.

Tudo isso leva aquele que, a partir de um ponto de sua vida, passou a ambicionar ser rico a "muitos desejos descontrolados e nocivos". Essa pessoa torna-se exposta a desejos irracionais. A alma desenvolve apetites que não têm contato com a realidade. Ele deseja o que sua mente esclarecida pela verdade jamais o levaria a desejar.

Sei de traficantes de drogas que, após décadas na prisão, voltaram a praticar os mesmos crimes. Outro dia, perguntei a um ex-traficante qual era sua explicação para esse fato. Ele me respondeu: "Ele precisa daquilo, porque se tornou dependente do poder que exerce sobre a vida de pessoas".

Tudo isso, conforme ressalta o apóstolo Paulo, é profundamente nocivo, pois o homem que se encontra escravizado pela ânsia de riqueza sai do caminho designado por

Deus para sua felicidade e realização pessoal. Assim, esse indivíduo se esquece de quem é e passa a adorar a criação em lugar do Criador. Alguém lhe apresentou um papel e o convenceu de que seria bom encená-lo, e o insensato se dispõe a viver uma vida sem autenticidade. Por isso, na carta que o mesmo Paulo escreveu a cristãos de Roma, ele faz um apelo apaixonado: "Não se amoldem ao padrão deste mundo, mas transformem-se pela renovação da sua mente, para que sejam capazes de experimentar e comprovar a boa, agradável e perfeita vontade de Deus" (Rm 12.2).

O resultado final é o colapso total: "... que levam os homens a mergulharem na ruína e na destruição". A metáfora não poderia ser mais dramática. Os tais são apresentados como quem submerge e morre afogado. Isso remete à ideia de alguém que perdeu tudo. Não ganhou nem este mundo nem o céu. Perdeu a alma. Pode até ter prosperado materialmente, mas jamais teve alma para obter prazer verdadeiro no que possuiu. "... pois o amor ao dinheiro é a raiz de todos os males": eis uma das verdades bíblicas para as quais há ampla base empírica. Para onde olhamos vemos as desgraças causadas por essa forma estranha de amar. E por que esse amor é causa de tantos males (certamente, o apóstolo Paulo não quer dizer *todos*, mas, sim, inúmeros, e de toda espécie)? Três fatos nos ajudam a entender as razões pelas quais esse amor é maléfico: a energia que o homem dispende com vistas à sua obtenção, os atributos divinos do dinheiro e o que significa buscá-lo num mundo como o nosso. Amar o dinheiro significa fixar as afeições em algo que é tido como importante, desejável e até mesmo imprescindível; é um sentimento que define o pensar e determina a ação. Definitivamente, o apóstolo não está falando sobre algo que o homem pega de leve.

Em conexão com isso, há aquilo que justifica o sentimento, ainda que inconscientemente. Esse homem não está se dedicando a uma coisa qualquer; ele busca o que na vida mais se aproxima do que Deus promete para quem o ama. Se essa busca tem matriz em alguma experiência passada de rejeição e dor, podemos multiplicar a força dessa paixão: é o garoto traumatizado que vai crescer associando autoestima a desempenho econômico.

Um ponto central é compreender o que significa desejar ardentemente o dinheiro em um mundo como o nosso: significa amar o que milhões amam e que não está disponível em quantidade suficiente para todos. Podemos pensar em quanto esse amor joga um ser humano contra o outro. Some-se a isso a legislação local, pois muitas leis criam obstáculos para o rico. Diante disso, ele busca encontrar alguém na máquina governamental que o ajude a criar atalhos, de forma nem sempre legítima ou legal.

O apóstolo Paulo lamenta os casos de membros professos de igrejas do primeiro século que se desviaram da fé em razão da presença no coração desse amor que rivaliza com o amor a Deus: "Algumas pessoas, por cobiçarem o dinheiro, desviaram-se da fé e se atormentaram com muitos sofrimentos".

A fé sempre levará o homem a confiar em Deus e a servi-lo. O amor pelas riquezas fará as mesmas exigências da fé e do amor. Trata-se de algo que enche o coração e o domina. Não há como a fé dividir com o dinheiro o espaço do coração; a guerra é inevitável. Quando o dinheiro vence, no minuto seguinte o cristão sai em busca de uma teologia que justifique sua ganância. Nesse ponto, ocorre o desvio da fé, que traz "muitos sofrimentos", como ressalta Paulo. Calvino faz o seguinte comentário sobre essa passagem:

Ele afirma que o mais grave de todos os males emana da avareza rebelando-se contra a fé; porque aqueles que padecem dessa enfermidade gradualmente vão se degenerando, até que renunciam completamente a fé. Daqui provêm essas dores que ele menciona; as quais eu entendo como sendo terríveis tormentos de consciência, que atormentam aqueles que já não têm esperança; mesmo que Deus tenha outros métodos de provar os homens cobiçosos, convertendo-os em seus próprios verdugos.[5]

Após falar sobre as tentações do pobre e da classe média, o apóstolo Paulo prossegue em sua carta a Timóteo discorrendo sobre as tentações do rico. "Ordene aos que são ricos no presente mundo...". Isso mostra que a Igreja tem uma mensagem para o rico, ou seja, ela é chamada por Deus para lidar com alguém que tem muito mais que o necessário para viver. Interessante é notar que Paulo não menciona a origem da riqueza: o rico pode ter acumulado sua fortuna trabalhando legitimamente ou explorando o próximo. O fato é que ele chegou lá e, por isso, tem mais poder que grande parte da sociedade. Com seu dinheiro, esse indivíduo pode exercer profunda influência política e até mesmo cultural, pode comprar quem manda e bancar quem influencia. É difícil mensurar a extensão de seu poder, mas sabemos que parte dos problemas das democracias modernas deve-se à influência exercida pelas grandes corporações sobre o Estado. Afinal, não é raro vermos nações em que o legislativo, o executivo e o judiciário trabalhem mais para o capital que para o povo. Diante desse cenário, a Igreja tem uma mensagem de Deus para o rico que, se não for proclamada, configura falta de amor.

Primeiro, o Criador deseja que ajudemos quem é abastado a se dar conta de quem ele é: por ser rico, sua vida está cercada de privilégios e terríveis tentações. Num mundo de pobreza extrema, ele pode comprar o que não precisa e jogar no lixo o que saciaria a fome do pobre. As principais passagens do evangelho deveriam ser apresentadas a ele, uma vez que carregam advertências gravíssimas para quem se encontra na pior situação possível do ponto de vista espiritual. Estamos falando de gente que raramente caminha com Deus e segundo os princípios do evangelho. Calvino apresenta, em seu comentário sobre essa passagem, o que julga ter levado Paulo a apresentar as bases do chamado da Igreja para a evangelização e o discipulado do rico:

> Como entre os cristãos havia muitos que eram pobres e de condição miserável, é provável que fossem depreciados (como usualmente acontece) pelos ricos; e especialmente isso podia ser comum em Éfeso, que era uma cidade rica; porque, em tais cidades, quase sempre prevalece o orgulho. E daqui inferimos quanto é perigosa a abundância de riqueza. Tampouco faltam boas razões para que Paulo dirija tão severa admoestação aos ricos; uma delas é com o fim de remediar as faltas que quase sempre seguem as riquezas da mesma forma que a sombra segue o corpo; e isso por conta da depravação da nossa condição natural, porque do que Deus nos dá sempre aproveitamos para pecar.[6]

Segundo, o rico precisa ouvir da Igreja que ele é rico "no presente mundo". Duas verdades estão subentendidas nessa declaração. Há um conceito de riqueza que se relaciona apenas a esta era, algo circunscrito à realidade espaçotemporal desta presente ordem. Há um conceito de riqueza que se relaciona a outra era, a uma realidade eterna e, portanto, transtemporal. Essas verdades devem ser comunicadas em amor ao rico. Precisa ser dito a ele que seu poder e fortuna sofrem dessa limitação relativa ao tempo.

O "presente mundo" é algo que passa. Tudo o que vemos será desconstruído pelo poder santo de Deus. Este século dará lugar a um novo período da história da humanidade, marcado pelo banimento eterno de muito do que valorizamos e pelo que damos a vida. O tempo nunca mais será usado pelo homem da forma como o faz. Crer no Deus cristão é ser levado a esperar esse desfecho. O sistema bíblico de pensamento apresenta a escatologia como exigência da razão. Diante disso, uma questão absolutamente fundamental emerge: o que fazemos com esse tempo?

Observe a exortação de Paulo: "Ordene aos que são ricos no presente mundo que não sejam arrogantes". Hoje, o homem usa o tempo de que dispõe para explorar e se vangloriar; por isso, em grande parte, ele precisa ser pressionado a tratar com bondade seu semelhante, a usar sua riqueza com generosidade e não mergulhar no oceano da insanidade da soberba resultante da riqueza acumulada. Essas exortações existem em razão da cobiça, que a muitos escraviza. Nenhuma exortação, infelizmente, é suficiente para lidar com grande parte dos ricos. Por isso, torna-se necessária uma legislação que controle o uso da riqueza, como as leis trabalhistas.

É importante enfatizar que lutar para ganhar o mundo é lutar para ganhar *este* mundo. Um mundo tomado por corrupção, falcatruas, injustiça, desigualdade, miséria e perversidade. Ser rico no "presente mundo" é depositar as esperanças em algo que não permanece. O cristão olha para a realidade e, perplexo, procura entender como os seres humanos põem suas afeições em algo tão caótico e fugaz. A riqueza que só é utilizada para esta vida é justamente aquela da qual teremos de prestar contas no mundo vindouro; é o bem do qual um dia teremos de nos apartar ao atravessar os portões da morte ou que um dia se apartará de nós em consequência de uma desgraça temporal.

Terceiro, o pecado que o rico está mais propenso a praticar deve ser frontalmente combatido pela pregação e pelo discipulado cristãos. É fato que ele está exposto como poucos à estupidez do orgulho, que carrega a reboque a arrogância. Isso é loucura; afinal, trata-se do pecado mais injustificável que existe, por não se encaixar na fragilidade de seres que uma rajada de vento frio é capaz de adoecer. Como escreveu João Crisóstomo, um dos mais importantes pregadores da patrística: "Se a pequenez é a nossa verdade, não há virtude mais justificada do que a modéstia, e erro mais decepcionante do que o orgulho".[7]

Sim, isso precisa ser dito ao rico, porque, dado o modo pelo qual as relações humanas são estabelecidas neste mundo, há uma tendência de o rico se tornar orgulhoso. O sistema o estimula a isso. Todos os dias sua vaidade é fomentada pela forma como os seres humanos lidam com a riqueza e com quem a detém. Ele pode, assim, passar a acreditar no que as pessoas dizem a seu respeito, vindo a se encantar consigo mesmo. Ver a si próprio como genial, o escolhido, predestinado, indispensável, pode levá-lo a destratar pessoas, passar por cima de quem interrompe seu caminho, corromper funcionários públicos, plantar notícias falsas, abusar do poder, mandar matar, deixar matar, estimular matar.

Observe, portanto, que numa democracia não se pode deixar o rico a seu bel-prazer, pois esse ser poderoso, movido por sua propensão ao orgulho, pode causar muitos males. Boa legislação e fiscalização são fundamentais na vida pública; na Igreja, discipulado e a mesma preocupação que temos quando lidamos com a dependência química de alguém que ansiamos ver liberto do uso de drogas.

Em quarto lugar, como contraponto ao orgulho louco, devemos chamar o rico à sobriedade que é própria dos que consideram o caráter transitório das riquezas: "... nem ponham sua esperança na incerteza da riqueza". Esperança é pão. A vida não se sustém sem a energia auferida pela visão de um futuro bem-aventurado. Nossa mente trabalha em termos do que pode nos dar esperança: "Todavia, lembro-me também do que pode me dar esperança" (Lm 3.21). Estar certo de que o pior nos aguarda põe a vida em colapso.

Todos estamos certos de que não é possível viver de outra forma. Precisamos olhar para a frente com alegre expectativa. Todavia, não estamos de acordo sobre o fundamento da esperança: para o cristão, o alicerce é o caráter de Deus. Ele sabe que o Senhor cuida dele não apenas por amá-lo, mas por amar o seu nome, que o força a sempre agir em conformidade com sua natureza santa. O cristão sabe que a onipotência divina sofre a limitação da santidade divina. Deus não pode agir praticando violência ao amor, pois amar é de sua natureza. Ele é amor. O amor é ele. Por isso lemos no livro de Salmos a declaração de que o Senhor é pastor que guia os seus amados pelas veredas da justiça por amor do seu nome (Sl 23.1-3)! Nossa esperança está no seu nome.

O apóstolo Paulo chama a atenção de Timóteo para um fato da vida. Há uma tendência nos homens, em especial os ricos, de pôr "sua esperança na incerteza da riqueza". É como se subvertesse o salmo e cresse que "o dinheiro é o meu pastor e nada me faltará". O problema é que o dinheiro não tem nome a zelar. Cabe ao pregador, com lágrimas nos olhos, dizer para o rico: "Você compreende a loucura?". A riqueza não apenas é incapaz de bancar o que promete, mas pode faltar. Evaporar. Diante disso, qual seria o corretivo para tão frágil esperança? "... mas em Deus, que de tudo nos provê ricamente, para a nossa satisfação." Observe que esse versículo está entre o que fala sobre o pecado do orgulho e o que fala sobre a virtude da generosidade. A fé liberta. Sem ela estaremos privados tanto do melhor remédio para o orgulho quanto do melhor estimulante para a benevolência.

A Bíblia chama o rico para confiar em Deus. Sim, ele pode desfrutar de uma autêntica relação com o Criador mediante a mais íntima confiança no seu amor. Confiar em Deus significa depositar a esperança no imutável que não pode ser roubado. Note que não é a palavra "Deus" que o apóstolo Paulo usa para servir de fundamento da esperança. Há conteúdo proposicional; uma declaração objetiva sobre o amor desse Deus é feita: nossa esperança está no Deus que provê ricamente. Mais ainda, ele é o Deus que tem prazer no deleite humano: "... para a nossa satisfação". Assim, vemos que o Senhor tem prazer na mesa farta, na casa aconchegante, no coração cheio do Espírito Santo. Deus convida o rico para manter comunhão com esse ser tão amável.

Em quinto lugar, o rico é chamado para a prática efetiva do bem: "Ordene-lhes que pratiquem o bem, sejam ricos em boas obras, generosos e prontos a repartir". O rico deve tornar-se consciente da responsabilidade e do privilégio que tem. A providência divina lhe foi muito generosa. Ele dispõe mais para viver que a maioria das pessoas; mais até que muitos homens juntos. Isso representa para ele a imensa obrigação de ser bom administrador do que, em última instância, a ele não pertence. É problema moral possuir muito num mundo no qual milhões possuem pouco.

O pregador que não toca em tema tão sensível para a ética cristã e tão presente na pregação de Cristo nega sua missão de arauto da verdade, pois deixa o rico entregue à mais grave condição espiritual e menospreza a dor do necessitado. Essa proclamação deve ser positiva; o rico precisa ser levado à compreensão das amplas oportunidades que tem de fazer muita gente viver melhor. E o que ele deve ser estimulado a praticar? Deve começar por fugir de toda forma de lucro fraudulento e de sonegação de imposto. Se ele não gosta das regras do jogo, que lute por torná-las mais justas. Sua contradição consiste em burlar as leis das quais ele próprio se utiliza quando se sente lesado. Ele deveria saber que nem todas as suas causas são justas. Podem ser legais, mas são imorais.

Quem detém riqueza também não deve negligenciar ajuda à igreja, caso frequente uma. Como ele pode ser levado a dizer que foi salvo pelo testemunho de cristãos, que sua vida é nutrida pela comunhão com o Corpo de Cristo, que a missão da Igreja é santa, e não assumir o compromisso de contribuir com algo tão importante para a sua vida e o mundo? A Igreja tem sido historicamente mantida por meio da contribuição de cristãos, muitos dos quais pobres. Como não fazer por ela o que antes outros fizeram e que, graças a essa generosidade, permitiu que o evangelho alcançasse sua vida?

O rico deve aprender a dar dinheiro e, com isso, viabilizar a vida de quem cruza o seu caminho. Não há visão política, por mais profunda que seja, que tenha o direito de tachar como ingenuidade fazer obra de filantropia. Muita gente já teve a vida preservada por causa desses "ingênuos" gestos de amor. É da vida cristã dar esmola, como o próprio Jesus estabeleceu: "Vendam o que têm e deem esmolas. Façam para vocês bolsas que não se gastem com o tempo, um tesouro nos céus que não se acabe, onde ladrão algum chega perto e nenhuma traça destrói" (Lc 12.33).

Ponto importante que não pode ser negligenciado, sobre o qual falaremos em mais profundidade adiante: o rico deve se recusar a explorar os empregados. Pode-se sugerir a ele que aumente os salários que paga para além do que a legislação trabalhista exige; que diminua a carga horária, a fim de que seus empregados tenham tempo para investir em si; que crie condições humanas de trabalho, sendo especialmente misericordioso com quem exerce funções extenuantes, cansativas, monótonas, repetitivas ou insalubres. Quem não se dispõe a fazer esse tipo de coisa não pode ser considerado cristão.

O rico também deve usar do seu poder para fazer o *lobby* do bem. Pressionar governantes, protestar contra a falta de políticas públicas para as comunidades pobres, influenciar seus pares a fim de que não banquem campanha política de candidatos inescrupulosos. Donos de grandes corporações podem optar por não fazer negócios com países onde há graves, históricas e endêmicas violações dos direitos humanos. A lista de boas obras é longa. Salta aos olhos quanto ser rico no presente mundo pode ser uma forma de abençoar as pessoas. Há um preço, contudo, a ser pago. Como declara John Stott:

> Muitos empreendimentos cristãos são dificultados por falta de fundos. A todo tempo nossa consciência briga conosco quando nos lembramos de que um quinto da população mundial é composta de destituídos. Se pessoas ricas são

verdadeira e sacrificialmente generosas, não é necessário dizer que elas não serão mais tão ricas quanto foram. Elas podem não se tornar pobres, mas não permanecerão ricas.[8]

Qual é o sentido de trabalhar duro para enriquecer os outros? O apóstolo Paulo responde: "Dessa forma, eles acumularão um tesouro para si mesmos, um firme fundamento para a era que há de vir, e assim alcançarão a verdadeira vida". É muita bondade divina fazer promessas aos homens para que devolvam a Deus o que lhe pertence. O Criador, no seu amor infinito, chama o homem para se tornar rico. A linguagem é clara. Há riqueza a ser desfrutada na eternidade. Ao falar sobre acumular tesouros, o cristianismo confere sentido a todo o bem que fazemos neste planeta. Nada passa despercebido. Tudo é eternamente valorizado por Deus. As boas obras vão para um tesouro não meritório, que garante um bem eterno para aquele que, em amor, serve ao próximo. Muito tem sido falado sobre a natureza desse bem, chamado na Bíblia de *galardão*. O fato puro e simples de chegar na presença de Deus com as mãos cheias, como retorno em gratidão do que ele fez por nós em amor, já é motivo de eternas ações de graças. Significa dizer da forma mais real possível: "Não banalizei o que fizeste por mim".

Tudo que acabamos de ver, junto ao fato de que jamais sairá da memória de Deus o bem que fizemos, leva-nos a ser tomados irresistivelmente por um santo desejo de encontrar neste mundo oportunidade de servir a Deus e aos homens.

Em resumo, se fôssemos sintetizar a mensagem que a Igreja precisa transmitir ao rico, poderíamos dizer que a sua riqueza não precisa contar para a sua condenação. Ele pode usá-la para fazer Deus sorrir e conduzir os homens a glorificar o Criador pela vida de quem serviu de instrumento da sua misericórdia. Que alegria viver a vida que Cristo viveu e ser objeto das ações de graças do pobre!

Caso o rico segundo os padrões deste mundo não se torne rico em boas obras, ele precisa escutar, com coragem e graça, que está deixando de emitir o principal sinal de sua salvação. O rico prova ter se apoderado da verdadeira vida e estar a caminho do céu por intermédio de seu amor generoso.

Sem isso, é crime a Igreja levá-lo a crer que nasceu de novo.

Ética pública e riqueza

Eu estava saindo de um restaurante na Vila Nova Conceição, em São Paulo, quando deparei com um adolescente que desempenhava o papel de *outdoor* ambulante. Procurei me aproximar, a fim de conhecer sua história, atônito com a imagem de um jovem escorado num poste, com o corpo servindo de suporte para material de propaganda, numa esquina movimentada de uma região rica da cidade.

— E aí, meu amigo, posso fazer algumas perguntas para você?

— Sim.

— Quantas horas por dia você passa neste lugar?

— Eu chego aqui às dez da manhã e saio às cinco da tarde.

— Você não tem descanso?

— Eu tenho uma hora para o almoço e meia hora de descanso às três e meia.

— Você faz isso todo dia?

— Não, eu trabalho apenas aos sábados e domingos.

— Eles pagam seu almoço?

— Não, eu trago de casa.

— Quanto você ganha por dia?

— Oitenta reais.

— O que você faz com o dinheiro?

— Ajudo minha mãe em casa.

— Como é ficar aí?

— É muito chato.

— Quantos anos você tem?

— Dezessete.

— Qual é o seu nome?

— Tiago.

— Tiago, nunca se envolva com o tráfico e jamais deixe de estudar.

Saí daquele encontro pensando na tristeza de viver num país no qual um menino, para ajudar na manutenção da casa, tem de passar o dia inteiro em pé numa esquina, como se fosse um objeto inanimado, fazendo propaganda de apartamentos, com alguém muito rico disposto a explorar de modo tão acintoso um adolescente pobre. Em muitas comunidades pobres do Brasil, jovens como Tiago são os recrutas do tráfico, que lhes oferecem, além de dinheiro, visibilidade. Você acha que os motoristas e os passageiros dos carros que cruzam as ruas movimentadas daquele bairro de classe média alta veem o Tiago?

Aquele adolescente estava para se tornar maior de idade. Foi o que ele me disse. As prisões brasileiras estão repletas de jovens com esse perfil. Valas, cemitérios clandestinos, rios e lagoas têm recebido o corpo de tantos outros. Tiago revela uma natureza pacífica e trabalhadora. Nem todos os jovens brasileiros, no entanto, respondem dessa forma à vida. Muitos cometerão o erro injustificável de pegar numa pistola e se envolver com o crime. O injustificável deve ser visto, contudo, a partir de uma causa; causa essa igualmente injustificável. Tem a ver com a sua e a minha vida: para os governantes brasileiros, para ricos empresários e para você e eu, Tiago é invisível. Vemos o cartaz pendurado no pescoço, mas não enxergamos o ser humano por trás dele.

Os artigos 23, 24 e 25 da Declaração Universal dos Direitos Humanos poderiam estar na Bíblia. Os princípios que estabelecem para as relações trabalhistas podem ser encontrados nas mais diferentes páginas das Escrituras:

> Todo indivíduo tem direito ao trabalho, à livre escolha de emprego, a condições justas e favoráveis de trabalho e à proteção contra o desemprego.
>
> Todo indivíduo, sem qualquer distinção, tem direito a igual remuneração por igual trabalho.
>
> Todo indivíduo que trabalha tem direito a uma remuneração justa e satisfatória, que lhe assegure, assim como à sua família, uma existência compatível com a dignidade humana, e a que se acrescentarão, se necessário, outros meios de proteção social.
>
> Todo indivíduo tem o direito a organizar sindicatos e neles ingressar para proteção de seus interesses.
>
> Todo ser humano tem direito a repouso e lazer, inclusive a limitação razoável das horas de trabalho e a férias remuneradas periódicas.
>
> Todo ser humano tem direito a um padrão de vida capaz de assegurar a si e a sua família saúde e bem-estar, inclusive alimentação, vestuário, habitação, cuidados médicos e os serviços sociais indispensáveis, e direito a segurança em caso de desemprego, doença, invalidez, viuvez, velhice e outros casos de perda dos meios de subsistência em circunstâncias fora do seu controle.[9]

A Constituição Federal Brasileira não fica aquém da beleza do conteúdo da Declaração Universal dos Direitos Humanos, da qual o Brasil é signatário. No capítulo 2, dedicado aos direitos sociais do povo brasileiro, deparamos com as seguintes leis do Artigo 7º:

São direitos dos trabalhadores urbanos e rurais, além de outros que visem à melhoria de sua condição social:

I — relação de emprego protegida contra despedida arbitrária ou sem justa causa, nos termos de lei complementar, que preverá indenização compensatória, dentre outros direitos;

II — seguro-desemprego, em caso de desemprego involuntário;

III — fundo de garantia do tempo de serviço;

IV — salário mínimo, fixado em lei, nacionalmente unificado, capaz de atender às suas necessidades vitais básicas e às de sua família com moradia, alimentação, educação, saúde, lazer, vestuário, higiene, transporte e previdência social, com reajustes periódicos que lhe preservem o poder aquisitivo, sendo vedada sua vincularão para qualquer fim;

V — piso salarial proporcional à extensão e à complexidade do trabalho.[10]

Se a Declaração Universal dos Direitos Humanos e a Constituição Federal fossem respeitadas, nós viveríamos num mundo em que:

1. *Ninguém ficaria privado de trabalho*. Mediante livre escolha, jamais imposta pelo Estado, seres humanos exerceriam suas atividades profissionais em condições justas e sem medo de que acidente de trabalho, enfermidade ou outra adversidade qualquer os fizessem perder o ganha-pão de sua família.

2. *Ninguém sofreria discriminação* por ser negro ou mulher; sendo assim, não ganharia menos que aqueles que exercem a mesma atividade profissional.

3. *Ninguém seria explorado*, a ponto de o trabalho justo e honesto de nada valer para a manutenção de uma vida digna.

4. *Ninguém ficaria impossibilitado de participar de sindicatos*, a fim de sentar à mesa em condição de igualdade com o patrão.

5. *Ninguém trabalharia à exaustão*, a ponto de não ter tempo para a prática de um *hobby*, a leitura de bons livros, o contato com a natureza, o investimento em si mesmo visando à ascensão social, a relação com parentes e amigos, a oração e a meditação.

Por que, então, a realidade não é assim? Qual é o motivo de não nos preocuparmos em ver milhões e milhões de seres humanos vivendo no extremo oposto de leis tão belas e justas? Para onde olhamos, vemos pessoas desempregadas, a maioria das quais preferiria mil vezes estar produzindo a depender do assistencialismo do Estado. O desemprego fere a autoestima, expõe o pobre ao vício e priva a sociedade de contar com a contribuição de milhões de trabalhadores, que poderiam contribuir com sua habilidade e seu talento para o embelezamento da vida e a promoção de riqueza. É difícil estimar quanto a falta de emprego enfraquece a confiança do indivíduo em seu valor social. Como ressalta o sociólogo britânico Anthony Giddens em sua obra *Sociologia*:

Nas sociedades modernas, ter um emprego é importante para manter a autoestima. Mesmo nos lugares em que as condições de trabalho são relativamente desagradáveis, e as tarefas são monótonas, o trabalho tende a representar um elemento estruturador na composição psicológica das pessoas e no ciclo de suas atividades diárias.[11]

Em seguida, Giddens enumera os benefícios auferidos por meio do trabalho. Ele menciona o dinheiro, que ajuda o trabalhador a manter a vida e se livrar de inúmeras formas de ansiedade; o desenvolvimento de aptidões e habilidades; o dia organizado em torno do ritmo do trabalho, que livra as pessoas do tédio e do senso de apatia com relação ao tempo; as amizades e oportunidades de participação em atividades comuns; e a criação de uma identidade social estável. No caso dos homens, declara Giddens, a autoestima está, em geral, estreitamente relacionada à sua contribuição econômica para o sustento do lar.

Não são poucos os que se sentem descartáveis, vivendo sob o terror de caírem de cama e não terem como manter a família. Por que precisamos viver em modelos de sociedade nos quais o Estado é alheio às necessidades humanas, deixando vidas preciosas entregues à lógica perversa do mercado? Por que trabalhadores, criados à imagem de Deus, têm que viver ansiosos quanto à manutenção de sua vida e a vida daqueles a quem amam? Sabemos de pessoas que sofrem preconceito e que, se não fossem mulheres, imigrantes ou negros, seriam remuneradas com mais decência.

Um número incontável de trabalhadores vive apenas para comer e trabalhar. O que ganham mal lhes permite suprir as necessidades básicas. Sem contar o drama vivido por homens e mulheres da classe média, dos quais se exige fidelidade sem propósito a empresas que lhes roubam tempo que poderia ser dedicado ao que de mais prazeroso a vida nos reserva. Qual o sentido de passar de oito a dez horas diárias trabalhando, gastando quatro horas no trânsito, seis vezes por semana, com o bagaço do tempo sendo tão somente utilizado para descansar da fadiga? Difícil entender como permitimos esse tipo de coisa. Parece que vivemos em um planeta que não é nosso. Tornamo-nos cativos de quem nos oprime e exige que vivamos para satisfazer os caprichos egoístas de quem nos trata com desprezo. O duro é que esse é o tratamento que todos, sem exceção, damos uns aos outros. Seu patrão o trata assim e dessa forma você lida com sua empregada doméstica.

Não sou marxista. Não tenho fé na revolução do proletariado. Nossa natureza não permite esse tipo de coisa. Almejo a sociedade solidária, sem miséria e com igualdade de oportunidade de vida para todos, mas não julgo que a igualdade de condição de vida seja justa ou necessária para a harmonia social. Devemos honrar os que trabalham duro e executam suas tarefas com excelência. Como cristão, não posso acreditar que os valores que amo e a fé em Deus sejam produtos das relações econômicas, como ensina o marxismo clássico.

Acredito, contudo, que os contrapontos feitos pelo marxismo ao capitalismo ajudaram a humanizar um pouco mais o sistema. Nesse sentido, há um ponto das críticas de Marx, entre outros, que atrai muito a minha simpatia: as críticas que faz ao modelo de exploração capitalista. O sociólogo francês Raymond Aron apresenta uma síntese precisa do pensamento de Marx sobre a exploração do trabalhador, que também enxergo na mensagem dos profetas bíblicos:

> O tempo de trabalho necessário para o operário produzir um valor igual ao que recebe sob forma de trabalho é inferior

à duração efetiva do seu trabalho. O operário produz, por exemplo, em cinco horas um valor igual ao que está contido no seu salário, mas na verdade trabalha dez horas. Portanto, trabalha metade do tempo para si mesmo e a outra metade para o dono da empresa. A mais-valia é a quantidade de valor produzido pelo trabalhador além do tempo de trabalho necessário, isto é, do tempo de trabalho necessário para produzir um valor igual ao que recebe sob forma de salário.[12]

Aron recorda que Marx estava convencido de que a jornada de trabalho do seu tempo, que era de dez horas, às vezes de doze, era muito superior à duração do trabalho necessário, isto é, do esforço preciso para criar o valor encarnado no próprio salário. Volto a dizer: não sou marxista, mas sou obrigado a concordar com Marx nesse ponto, pois vejo essa exploração em todo lugar, o tempo todo, mesmo na vida daqueles que não a sentem por já terem internalizado os valores dessa ética do trabalho que sequestra a alma. Trabalho, alimento-me, pago minhas contas... mas não vivo. Lembro-me do Antigo Testamento e do que o faraó da época de Moisés decidiu fazer com o povo hebreu. Impressiona a atualidade desse texto, e como a democracia legitima aquilo que veríamos com horror num regime absolutista:

No mesmo dia o faraó deu a seguinte ordem aos feitores e capatazes responsáveis pelo povo: "Não forneçam mais palha ao povo para fazer tijolos, como faziam antes. Eles que tratem de ajuntar palha! Mas exijam que continuem a fazer a mesma quantidade de tijolos; não reduzam a cota. São preguiçosos, e por isso estão clamando: 'Iremos oferecer sacrifícios ao nosso Deus'. Aumentem a carga de trabalho dessa gente para que cumpram suas tarefas e não deem atenção a mentiras".

152 | CONVULSÃO PROTESTANTE

Os feitores e os capatazes foram dizer ao povo: "Assim diz o faraó: 'Já não lhes darei palha. Saiam e recolham-na onde puderem achá-la, pois o trabalho de vocês em nada será reduzido'". O povo, então, espalhou-se por todo o Egito, a fim de ajuntar restolho em lugar da palha. Enquanto isso, os feitores os pressionavam, dizendo: "Completem a mesma tarefa diária que lhes foi exigida quando tinham palha". Os capatazes israelitas indicados pelos feitores do faraó eram espancados e interrogados: "Por que não completaram ontem e hoje a mesma cota de tijolos dos dias anteriores?".

Êxodo 5.6-14

Quem é o nosso faraó? Quem são os feitores? Quem são os capatazes? Sobre o que estamos privados de pensar em razão da mente extenuada, do corpo cansado e da falta de tempo para examinar a vida? Quem legitima tudo isso?

A Bíblia reconhece um fato amplamente autenticado pela história: o modelo econômico baseado na exploração do trabalhador só se estabelece numa sociedade com a conivência, o patrocínio e a pressão política do rico. É precisamente essa a mensagem de Tiago em outro trecho de sua carta:

Ouçam agora vocês, ricos! Chorem e lamentem-se, tendo em vista a desgraça que lhes sobrevirá. A riqueza de vocês apodreceu, e as traças corroeram as suas roupas. O ouro e a prata de vocês enferrujaram, e a ferrugem deles testemunhará contra vocês e como fogo lhes devorará a carne. Vocês acumularam bens nestes últimos dias. Vejam, o salário dos trabalhadores que ceifaram os seus campos, e que vocês retiveram com fraude, está clamando contra vocês. O lamento dos ceifeiros chegou aos ouvidos do Senhor dos Exércitos. Vocês viveram luxuosamente na terra, desfrutando prazeres, e fartaram-se de comida em dia de abate. Vocês têm condenado e matado o justo, sem que ele ofereça resistência.

Tiago 5.1-6

Igreja e sociedade devem estar alerta a essa realidade, fato tão presente nas passagens que falam sobre política e economia na Bíblia. Anunciá-lo é tarefa de todo pregador fiel. Chama a atenção nessa passagem o elemento da denúncia contra a injustiça social que só encontramos no cristianismo: Deus julgará o rico que explora o pobre. O anúncio do juízo de Deus contra a exploração do trabalhador está longe de ser mero instrumento de pressão psicológica sobre o rico, mas, sim, a resposta da santidade divina a uma das mais odiosas violações dos direitos humanos. Há importante diferença entre o profeta e o mero reformador social: esse aponta para a deterioração social, as consequências políticas e os impactos econômicos causados pela injustiça; aquele sempre apela para o caráter de Deus e as implicações trágicas, temporais e eternas de violar sua santa lei.

Por isso, Tiago chama o rico para ouvir a voz de Deus: "Ouçam agora vocês, ricos!". Esse "Ouçam agora" é uma interjeição de encorajamento, porém sarcástica.[13] Quem vê a opressão desalmada, a miséria resultante da injustiça social, o sistema político-econômico corrompido pela ganância dos poderosos, chama o rico para que ele contemple o que o aguarda.

Deus tem o que dizer ao rico. Há uma mensagem diretamente relacionada a ele e, de certa forma, somente a ele. Observa-se que a profecia-protesto é proferida especificamente contra os ricos que não são cristãos. Alguns deles, provavelmente, estavam frequentando as reuniões da igreja, pois o milagre não consiste em o rico entrar num templo, mas em o evangelho entrar no seu coração. A descrição que é feita, contudo, de modo algum se ajusta à vida de um membro de igreja que tão somente revela praticar um pecado isolado. A vida desse rico é um completo fracasso.

Tiago obviamente não está se dirigindo a todos os ricos, mas àqueles que enriqueceram e se mantêm ricos mediante a exploração do suor dos explorados. Como essa gente encontra paladar para o pão da injustiça? Como consegue dormir sabendo que sua prosperidade repousa no sacrifício alheio? O que leva essa pessoa a crer que o universo tem de se curvar a seus caprichos?

Vale a pena mencionar o comentário que o pastor puritano inglês Thomas Manton fez sobre o primeiro versículo dessa passagem, ainda no século 17. Para ele, a frase de abertura é um chamado para o rico comparecer diante do trono de Deus a fim de ser julgado. Manton faz uma aplicação bastante oportuna desse trecho, declarando que, certamente, estão incluídos entre os ricos os magistrados, os príncipes e as autoridades públicas. "É difícil possuir riquezas e não pecar", assevera. "Elas são possuídas, na maioria das vezes, por ímpios"; e prejudicam os que as possuem de herdarem o céu. Ele imagina alguém indagando, diante disso: "Devemos deixar de ser ricos?". Sua resposta carrega aquela franqueza que falta no discurso dos líderes eclesiásticos de hoje: "Eu respondo: não; mas, valorize-as menos. Quando vocês as possuírem, não deixe-as possuírem vocês". Manton conclui dizendo que é óbvio que a passagem não dá a mínima esperança para essa espécie de rico: "Pecadores ricos são os mais incuráveis. [...] Eles raramente são fielmente reprovados; e, quando o são, a maioria mostra-se indisposta a suportar a reprovação".[14]

Tiago antecipa a dor do julgamento. Ele convoca o rico para antever o juízo vindouro. Para Calvino, na verdade, essa passagem não trata de uma chamada feita ao rico para que ele busque o arrependimento, mas do anúncio do julgamento de Deus, que haverá de cair de modo terrível sobre o que obtém riquezas mediante a exploração do pobre, sem a mínima esperança de perdão. Com isso, declara o teólogo, Deus consola o pobre, revelando seu justo juízo, o fim do opressor e da opressão, e, ao mesmo tempo, estimula o oprimido a não invejar jamais quem sofrerá fim tão dramático.[15]

Aquele será o dia da chegada da verdadeira revolução do proletariado! O versículo 1 representa a descrição do que acontecerá. É o choro associado ao tratamento final que Deus dará à injustiça. Tiago intima o rico a considerar o julgamento divino e a prantear pelo que lhe sobrevirá. Como ressalta Calvino: "Esse é o modo profético de falar. Os ímpios têm a punição que os aguarda posta diante deles, e eles são representados como se já a estivessem sofrendo".[16]

"A desgraça que lhes sobrevirá" é uma descrição do que envolvem as mais diferentes formas de Deus julgar o rico impiedoso. Ela pode assumir a forma de Deus deixá-lo apenas colher o que semeou. O rico pode considerar o silêncio do Senhor a aprovação divina a seus feitos maus, até o dia em que se vir colhendo o que plantou. Família dividida, execração pública, insurreição do oprimido, vida gasta no que jamais satisfez o espírito, cadeia... A lista é infindável. Poucas pessoas estão tão expostas ao lado súbito e surpreendente da desgraça como o rico. Servir ao dinheiro é servir a um deus implacável, que exige sujeição fanática e conversão radical.

Não há desventura maior, entretanto, que aquela que aguarda o mau rico no fim de sua vida, ou no fim da história. De uma forma ou de outra, chegará o dia em que ele verá a "causa não causada" de tudo que foi criado, o eterno Deus, que é santo e bom, revelar ao rico que ele não tem as características da família do Pai, que o Criador jamais se viu nele, que ele vive uma vida detestável aos olhos de um ser de amor que criou os homens para amar uns aos outros.

O homem tem feito muitas caricaturas da doutrina bíblica do juízo final. Não podemos banalizar verdade tão presente nas Escrituras e, em especial, na mensagem do próprio Cristo. Deus não é apresentado num ato de cólera punindo caprichosamente criaturas indefesas. O julgamento que a Bíblia anuncia é a pura manifestação da justiça divina em face dos crimes bárbaros cometidos conscientemente por seres racionais.

O Deus santíssimo viu esses mesmos homens imporem cangas sobre os ombros dos trabalhadores, levando-os à exaustão e conseguindo amparo legal para o que faziam mediante a compra de legisladores e juízes. Com isso conseguiram que seus filhos fossem enviados para estudar nas melhores escolas europeias, viabilizaram que as esposas gastassem fortunas em joias, tiveram recursos para que suas mansões fossem feitas e refeitas — sempre às custas das mãos calejadas do trabalhador e da completa manipulação econômica do sistema. A repulsa que sentimos ao depararmos com essa realidade é a que Deus sente, porém elevada ao infinito. Nossa indignação é a pura manifestação da imagem dele que carregamos. É incoerência pedir cadeia para o rico explorador da mão de obra do pobre, falar em revolução da classe trabalhadora e libertação do jugo da opressão e ficar escandalizado quando o cristianismo declara que o rico será julgado por Deus.

A miséria do rico

Nos dois versículos seguintes, Tiago descreve o empobrecimento forçado daquele que se recusou em vida a tornar-se menos rico para ajudar a enriquecer o pobre: "A riqueza de vocês apodreceu, e as traças corroeram as suas roupas. O ouro e a prata de vocês enferrujaram, e a ferrugem deles testemunhará contra vocês e como fogo lhes devorará a carne. Vocês acumularam bens nestes últimos dias". Sob que perspectiva devemos ver o que ele diz, "A riqueza de vocês"? Para o cristianismo, ninguém se apropria nesta vida de nada que seja intrinsecamente seu. Podemos ser os primeiros a pôr o pé em território inóspito, a tornar terra improdutiva em celeiro de grãos, a transformar minério em ferramenta. As Escrituras, contudo, nos lembram de que não somos nem mesmo os autores de nossa vida; e os átomos que compõem tudo aquilo que foi tornado nosso não é obra de nossas mãos. Toda a disposição do universo, com sua harmonia, coesão, beleza e adaptabilidade dos meios aos fins é fruto do cuidado providencial de Deus. O mesmo cujo poder mantinha o nosso batimento cardíaco enquanto possuíamos terras, semeávamos, colhíamos e inventávamos.

"A riqueza de vocês" é e sempre será "a riqueza de vocês" num mundo de miséria. Representará a posse daquilo que poderia ajudar o outro a viver. Por um mistério da providência, segundo os planos insondáveis de um ser infinitamente sábio e justo, alguns dispõem de recursos que poderiam fornecer abrigo, agasalho e comida para os que nada têm.

Constatamos, então, três fatos da vida: Deus é o criador único dos céus e da terra; seu cuidado providencial é a causa de tudo o que temos e somos; e deparamos com a pobreza de milhões. Some-se tudo isso e vemos que possuir riquezas sempre será um problema ético. Na verdade, ter qualquer coisa, muito ou pouco, seja em que área for da existência, demanda responder às exigências da doutrina da criação, da providência e do amor. Não criei nada a partir do nada, devo a manutenção de minha vida biológica à vontade soberana do Criador e meu próximo vive indignamente.

Mais uma vez, deparamos com a cosmovisão cristã e suas implicações éticas, aqui, aplicadas à riqueza. Acumular bens sem considerar a glória de Deus e a penúria do próximo atrai o juízo divino. Não há a mínima dúvida de que a concentração de riqueza num contexto de desigualdade social severa era uma das grandes ofensas a Deus praticadas pelos ricos dos dias de Tiago.

O que leva uma pessoa a concentrar terras, transformar o guarda-roupa num *shopping center* e guardar joias em um cofre? É muito difícil o homem ter um encontro com o "deus dinheiro" e querer apostatar dessa religião. Isso porque ele crê no dinheiro, enquanto duvida de Deus. A incredulidade é a raiz da cobiça. Por duvidar do caráter de Deus, essa pessoa sai em busca na vida do que lhe ofereça segurança: quanto mais tem, mais segura se sente.

Somado à incredulidade, evidentemente, há o desamor, que leva o homem a viver mais focado nos seus temores imaginários que nas necessidades reais de quem o cerca. É muito difícil a educação pura e simples produzir esse tipo de altruísmo. O medo quase sempre falará mais alto que o amor escasso que nutrimos pelo próximo. Se essa coisa não for objeto de legislação, os explorados estão perdidos. Devemos ser contra a filantropia compulsória, mas não podemos fazer oposição à taxação de grandes fortunas e leis que visem a tornar socialmente responsáveis as empresas.

O amor ao dinheiro representa a suprema manifestação da loucura que o pecado produz. O que acumula riquezas desmedidamente se esquece do caráter transitório desta vida. Quando Tiago fala de "riquezas podres", "roupas que traças corroeram" e "ouro e prata enferrujados", está se referindo a esta vida. E nesta vida, cedo ou tarde, nos despediremos do que amamos ou o que amamos se despedirá de nós. Não há cofre seguro para os bens que são objeto de nosso amor.

Observa-se que esse apodrecimento é levado a cabo pelo próprio Deus. É ele quem faz enferrujar até o que não enferruja. O ouro perde o brilho. Aquilo que trazia segurança e glória ao homem é, sem que ele o perceba, gradativamente corroído pelo juízo divino. Não há mais terra para se vangloriar, roupa para dar visibilidade e prata e ouro para fazer a vida de um mortal se parecer com a de um anjo. Percebe-se com clareza a ênfase posta no fato de que os bens desta vida, que foram usados para comprar magistrados e políticos corruptos, de nada adiantarão no dia do juízo. Nada disso terá utilidade. Aquilo que foi objeto de levianas expressões de ações de graças passará a ser enxergado como objeto de remorso e lamentação.

A irracionalidade, só compreensível à luz do fato de que vivemos num mundo tenebroso, no qual nossos olhos foram impedidos de ver, consiste em que aquilo que foi guardado com ansiedade, que poderia viabilizar a vida do necessitado, foi tornado podre, corroído e enferrujado pela falta de fé e amor. Estou falando da terra que poderia ser repartida e prover emprego para o pobre, da roupa que serviria para cobrir o corpo do que sentia frio e do ouro que poderia ajudar a pagar as dívidas do que envelhecia antes do tempo por não ter podido honrar seus compromissos. Nada aqui é banal. Não há capricho divino. Refiro-me a

160 | CONVULSÃO PROTESTANTE

pessoas que guardam no banco o que poderia salvar vidas. Deixar de praticar essa espécie de bem é pecado.

O texto prossegue: "... a ferrugem deles testemunhará contra vocês": o bem tornado velho por não ter sido utilizado em benefício do próximo, por força do egoísmo, será a base do julgamento do rico. As traças e a ferrugem comeram o que deveria ter servido aos miseráveis da terra. É como se o próprio bem acumulado dissesse para o rico: "Tu não destes a mim o fim que era devido". Tiago vai adiante: "... e como fogo lhes devorará a carne". A linguagem usada é característica dos textos bíblicos que falam do juízo divino como um fogo consumidor. Essa pessoa será banida do reino de Cristo, que é um reino de amor. Ela não estará apta a entrar num mundo que lhe seria estranho. Seria tormento para ela e para os cidadãos desse lugar santo. Por fim, Tiago deixa claro que o acúmulo de riqueza contrasta com a mudança radical que aguarda este planeta: "Vocês acumularam bens nestes últimos dias". O rico entesoura para um mundo que passará para sempre, mas não sem que antes seus moradores sejam chamados diante de Deus para prestar contas do que fizeram com as oportunidades recebidas em vida de expressar amor por Deus e pelo próximo.

O texto vai adiante: "Vejam, o salário dos trabalhadores que ceifaram os seus campos, e que vocês retiveram com fraude, está clamando contra vocês. O lamento dos ceifeiros chegou aos ouvidos do Senhor dos Exércitos". Até agora, vimos quanto a concentração de riqueza atrai o juízo divino. A fortuna que possibilitaria ao seu possuidor viver dez vidas, não compartilhada com o pobre que mal consegue viver a vida que tem, é uma provocação àquele que dos céus contempla as ações dos filhos dos homens.

Dinheiro não pode ficar parado. A riqueza acumulada com fraude é outra iniquidade que causa repulsa a Deus. Como se não bastasse o fim que se dá a ela, sua origem injusta, baseada na exploração do pobre trabalhador, exige resposta de Deus.

"Vejam, o salário dos trabalhadores...": salário é a remuneração paga pelo empregador ao empregado, de forma regular, em retribuição a trabalho prestado. Trata-se de uma forma de honrar o esforço humano. Alguém que é portador da imagem de Deus consagrou tempo precioso de vida e derramou suor para que algo pudesse ser produzido. Se isso foi feito para mim, é meu dever pensar na dignidade daquele que me serviu. Se fosse um animal de carga, caberia a mim tratá-lo bem. O problema avulta quando pensamos no fato de essa mesma pessoa depender do salário para viver. Difícil superestimar as implicações morais do tema. Economia é uma disciplina sagrada! Parte das oportunidades que essa pessoa e sua família terão em vida dependerá do valor que o empregador atribui tanto ao trabalho feito quanto à vida de quem o executou.

Tiago prossegue: "... que ceifaram os seus campos...". Ele define o perfil desse trabalhador. Trata-se do camponês pobre. Sua tarefa é essencial para o funcionamento da sociedade. Todos dependem do seu trabalho para viver. É justamente aquele que faz a comida chegar à mesa de todos. Tarefa extenuante, executada sob sol e chuva. Nossa vida depende do trabalho de milhões de anônimos, cuja existência ignoramos, que se afadigam para que o imprescindível para viver nos chegue às mãos. É difícil entender os motivos pelos quais trabalhadores que se dedicam a tarefas essenciais são tão ignorados pelos que se beneficiam do seu trabalho. Como mensurar o valor do camponês? Os problemas morais que envolvem esse tipo de atividade tornam-se mais graves ainda pelo fato de esses mesmos trabalhadores serem pobres. Produzem o que não podem comprar.

O escritor bíblico prossegue: "... e que vocês retiveram com fraude...". Tiago percebia e sentia profundamente as injustiças sofridas pelos pobres. (Abro parêntese para dizer que algumas das maiores injustiças sociais costumam passar ao largo dos sermões feitos pelos pregadores, que muitas vezes deixam de denunciar os pecados que mais despertam a justa indignação divina, enquanto coam mosquito que não escapa da peneira moralista que levam para o púlpito. Como escreveu Thomas Manton: "Alguns pecados estão gritando, e de uma forma mais especial requerem vingança das mãos de Deus".[17]) Um ponto central é que Tiago sabia o que estava acontecendo no campo! Essa percepção deveria nortear o ministério de todo pastor, alguém que não pode ignorar na sua cidade o gemido do oprimido. O teólogo Ronald Wallace comentou a atividade ministerial do reformador João Calvino em Genebra e lembrou os seguintes fatos:

> Aqueles que examinaram o trabalho de Calvino [...] ficaram impressionados com os relatórios escritos por ele mesmo que revelam o conhecimento que ele tinha de casos policiais, combate a incêndios, inspeções de prédios, deveres dos guardas, cuidados com artilharia, processos de mercado etc. Ele também era responsável pela redação final dos editais. O livro de estatutos da cidade de Genebra recebeu nova organização e muito maior simplicidade. Os processos legais foram encurtados.[18]

Tiago denunciava a fraude praticada pelo rico latifundiário contra o pobre trabalhador. Não resta dúvida de que a relação do rico com o pobre deveria estar sob o constante escrutínio de uma sociedade munida de leis justas, elaboradas para coibir a exploração. Essa é uma lei da vida em sociedade: o poder econômico é um déspota, que governa com mão de ferro, sorrateiramente, cujo maior inimigo não é a democracia, mas governos que, além de democráticos, não se curvam ao capital. Indago: quantas riquezas foram acumuladas sem o sangue do trabalhador? Na maioria das vezes, ser rico já é motivo suficiente de arrependimento. Que país desenvolvido cresceu economicamente sem pilhagem? Nação explora nação. Povo explora povo. Etnia explora etnia. O homem é o lobo do homem.

O pecado que Tiago combatia é uma das manifestações das possíveis injustiças que podem ser cometidas contra o trabalhador. Naqueles dias, o rico não pagava o salário do pobre. Eles trabalhavam sob sol e chuva; suas mãos enchiam-se de calos, enquanto suas costas doíam por viverem vergados; desenvolviam tendinites crônicas em razão do esforço repetitivo; executavam suas tarefas sem a mínima esperança de ascensão social; visavam apenas ao sustento de suas famílias... Mas o suor de seu rosto não lhes garantia o pão. Como a pobreza pode ser fruto de modelos político-econômicos injustos! Mostre-me nessa passagem algum pobre vagabundo querendo apenas viver do assistencialismo do Estado!

É fato que há outras formas de reter o salário do trabalhador. Salários baixos para quem vendeu seu corpo para o patrão por falta de opção de vida é outra iniquidade.

A injustiça cometida pelo rico contra o trabalhador pode não ser vista pelo magistrado, pelo legislador, pelo rei ou pelo pastor. Talvez ela não esteja sendo julgada, condenada em lei, tornada foco de políticas públicas ou confrontada pela pregação profética; mas jamais, nunca, passará despercebida pelo Deus que exige que coma o pão aquele que suou o rosto trabalhando.

Essa injustiça é amplamente denunciada pelo Antigo Testamento. No livro de Deuteronômio, Moisés declara:

> Não se aproveitem do pobre e necessitado, seja ele um irmão israelita ou um estrangeiro que viva numa das suas cidades. Paguem-lhe o seu salário diariamente, antes do pôr do sol, pois ele é necessitado e depende disso. Senão, ele poderá clamar ao SENHOR contra você, e você será culpado de pecado.
>
> Deuteronômio 24.14-15

Já no livro de Levítico, é possível perceber a mesma ênfase:

> Não oprimam nem roubem o seu próximo. Não retenham até a manhã do dia seguinte o pagamento de um diarista.
>
> Levítico 19.13

O profeta Jeremias condenou veementemente essa prática pecaminosa:

> Ai daquele que constrói o seu palácio por meios corruptos, seus aposentos, pela injustiça, fazendo os seus compatriotas trabalharem por nada, sem pagar-lhes o devido salário.
>
> Jeremias 22.13

Outro profeta da época do Antigo Testamento, Malaquias, inseriu essa transgressão na lista de graves violações dos direitos humanos:

> "Eu virei a vocês trazendo juízo. Sem demora testemunharei contra os feiticeiros, contra os adúlteros, contra os que

juram falsamente e contra aqueles que exploram os trabalhadores em seus salários, que oprimem os órfãos e as viúvas e privam os estrangeiros dos seus direitos, e não têm respeito por mim", diz o SENHOR dos Exércitos.

Malaquias 3.5

Tudo clama! E Deus ouve os gemidos do pobre trabalhador. Até o salário grita! Como se o fruto do trabalho árduo quisesse chegar a quem o merece, recusando-se a servir a outro propósito. Um gemido brota da terra. A natureza recusa-se a servir ao opressor. É impossível que Deus não ouça o clamor do oprimido quando ele ora ou apenas chora.

A ordem está completamente invertida. A natureza é forçada a servir àquele cujo ventre, estufado pela fartura, não cessa de querer e consumir. O homem nem com o suor de seu rosto consegue comer de seu pão. É evidente que tudo isso pode causar muita agitação social, uma vez que, quando a opressão faz a vida minguar e leva entes queridos a padecer, o instinto associado ao sentimento de justiça leva o homem a transformar enxada em espada.

Algo mais está acontecendo! Não é que as bases da ordem pública estão sendo solapadas, possíveis leis violadas e a Declaração Universal dos Direitos Humanos desrespeitada. O cristianismo teima em inserir mais um fato bíblico: Deus está sendo provocado. Sua natureza santa o impele a agir. O Deus justo se levantará do seu trono para brandir a sua espada. Essa linguagem é sempre compreendida por quem já passou por um campo de concentração. É mais, muito mais, que o desejo de ver a justiça retributiva ser aplicada. Não é apenas vingança. É a firme convicção de que, sendo Deus quem é, a manifestação de sua ira é inevitável.

166 | CONVULSÃO PROTESTANTE

Quem está irado? O Senhor dos Exércitos. Por que o chamo aqui por essa, entre tantas adjetivações que a Bíblia faz do Senhor, nosso Deus? Porque a injustiça praticada contra o trabalhador pobre faz que o rico tenha de encarar aquele a quem não pode oprimir e que se levanta para defender o direito do explorado. Que o rico não ouse enfrentar o Senhor dos Exércitos. Essa alusão a exército fala sobre os anjos que estão à sua disposição e que operam em todo o planeta; refere-se a essa força que nenhum reino de opressão, por mais forte que sejam suas forças armadas, pode enfrentar. Mas Deus não apenas comanda anjos; ele comanda o cosmos. Ser o Senhor dos Exército significa ter ao dispor tudo o que foi criado. É uma classificação que denota poder e majestade. A situação do que usa o poder econômico para oprimir não poderia ser pior. Quantos empresários, grandes latifundiários e executivos de grupos financeiros sabem que a causa do pobre está nas mãos do Senhor dos Exércitos? O que significa o fato de a oração do pobre, que clama por justiça, ser ouvida por um Deus irado?

Todavia, o acúmulo de riqueza e a fraude contra o trabalhador não são os únicos pecados aos quais o rico está exposto. Tiago é direto: "Vocês viveram luxuosamente na terra, desfrutando prazeres, e fartaram-se de comida em dia de abate". O consumismo desenfreado, fruto do hedonismo, e a indiferença com a desigualdade social são características da deformidade de caráter de quem vive nas classes sociais mais favorecidas.

Há uma tendência à indulgência na vida do rico. Sua riqueza o faz crer que o universo foi feito para atender a seus apetites. Suas conquistas — algumas das quais são autênticas façanhas, resultado de trabalho, habilidade, sagacidade e perseverança, ou seja, essa mistura de virtudes mescladas com vícios —, o levam a crer que ele merece festejar, usufruindo, sem restrição, dos frutos do seu trabalho. "Eu lutei por essa Ferrari!", é o mote. Sua natureza vai pouco a pouco tornando-se mais refinada. Antes, dormia no chão, na poltrona da sala, dividia a cama com o irmão. Agora, entretanto, precisa de travesseiro de pena de ganso e cama *king size* com molas, do contrário não dorme. Podemos fazer aplicações dessa natureza a todas as áreas de sua vida. Vai da cama até a mansão na colina, passando pelo carro de luxo, almoços caríssimos e restaurantes sofisticados. Nada disso tem limite. O desejo dos homens é insaciável. Criados para a eternidade e a fruição do amor de um ser infinito em beleza, procuram encontrar nesta vida o que só Deus pode lhes oferecer. Qual é a geografia dessa vida de prazer? Tiago a descreve: "na terra". O rico se empanturra, se embriaga, caça, participa de orgias sobre a mesma terra que um dia o engolirá. Seus prazeres são os da presente vida, dissociada da vida examinada e para a qual se encontrou uma razão de ser.

É óbvio que essa não é a descrição da vida de todos os ricos. Não podemos generalizar. Nem todos os pobres se envolvem com o crime, embora a pobreza seja a causa não justificada de muitos casos. Nem todo rico vive em futilidade, embora a maioria o faça de modo injustificável. Pobreza e riqueza, de acordo com a natureza de quem as experimenta, podem dar à luz o pecado. As tentações descritas por Tiago são aquelas a que estão expostos e nas quais caem a maioria dos ricos. Viver no prazer causa muito tédio, o que leva essas mesmas pessoas a ter a prática do consumismo insaciável. O prazer não é mais vivido como

168 | CONVULSÃO PROTESTANTE

descanso da labuta; vira *overdose*, que enfastia e aumenta a dependência de doses maiores.

O coração do rico se torna gordo, numa obesidade de alma. O coração, na Bíblia, simboliza a sede dos desejos, o lugar de onde procedem nossas escolhas. Tiago descreve esses desejos como *apetites*. Um coração gordo é um coração cevado, cuja fome o leva a comer tudo que deseja. Isso o torna espiritualmente obeso. Há fatos sobre o coração desse rico cuja vida causa tanta afronta a Deus e sofrimento aos que trabalham para ele: seus desejos não contemplam o pobre; ele tem fome de felicidade pessoal; é insaciável e não adia a satisfação do prazer. Mais ainda: ele *não* tem fome e sede de justiça. Portanto, não é bem-aventurado, pois consegue conceber a absolutização do prazer hedonista num mundo de miséria.

Por fim, o trágico que antecipa o inferno: esse homem perdeu toda a sensibilidade. Come e não sente o sabor. Seu coração tornou-se incapaz de se alegrar com aquilo que alegra os anjos, os santos e Deus. Uma crosta de gordura o envolve e nada mais cabe nele. O pecado embota a capacidade humana de provar do gosto mais profundo das coisas. Ele viaja a Paris, participa de grandes concertos, visita museus mundialmente famosos… mas não tem alma.

Há muita insensibilidade nisso tudo, que toma dimensão maior quando levamos em consideração que a vida nos prazeres pecaminosos se dá "em dia de abate". Os estudiosos do texto de Tiago não são unânimes quanto à interpretação desse texto. Há três posições diferentes: a primeira considera "dia de abate" as festas judaicas, que teriam se tornado praticamente diárias na vida do rico. O abate seria uma referência aos animais que normalmente eram sacrificados para o banquete. Segundo esse entendimento, a vida do rico é descrita como uma festa; a festa da indiferença. A segunda interpretação dessa expressão considera o referido dia a data do julgamento que se aproxima e que aguarda a vida do rico. Assim, ele estaria explorando o pobre em dia próximo do fim.

A terceira forma de compreender o "dia de abate" é a que mais me agrada, em razão de sua conexão com o que vem logo a seguir no texto: interpreta a matança como a morte dos pobres, que tombavam sob a tirania do poder econômico. Desse modo, o rico é descrito como aquele em cuja casa há festa enquanto os pobres morrem, uma vez que o banquete do rico só tornou-se possível graças ao sacrifício do oprimido. Se fôssemos fazer uma analogia com os nossos dias, poderíamos compreender essa passagem como se Tiago estivesse dizendo: "Vocês organizam grandes e dispendiosas competições esportivas num país de miséria".

Quando o Rio de Paz realizou um protesto na sede da Federação Internacional de Futebol, a FIFA, em Zurique, contra a realização da Copa do Mundo no Brasil, tive um rápido diálogo com assessores do departamento de comunicação da entidade. Eles foram à porta pedir que eu parasse com o ato público, que, àquela altura, contava com a cobertura de jornalistas suíços e da agência de notícias EFE. Eu disse: "Vivo em um país no qual crianças não têm acesso a educação de qualidade, pessoas morrem na fila de espera de hospitais e meio milhão de seres humanos foi assassinado nos últimos dez anos. Agora vejo o governo investir dez bilhões de dólares numa competição esportiva de quatro semanas. O que vocês fariam se fosse no seu país?". Eles ficaram petrificados. Não tinham o que dizer. A Copa era um problema moral. Jamais me arrependerei de ter levado para a porta de entrada da sede da FIFA bolas de futebol marcadas com cruzes vermelhas e um cartaz, escrito em inglês e português: *Copa do Mundo de 2014: Quem lucra mais? FIFA, empresários ou o povo brasileiro?* Todos sabiam a resposta. A FIFA obteve com a competição o lucro astronômico de 2,5 bilhões de dólares, com um investimento pífio em projetos sociais no Brasil — um péssimo exemplo de responsabilidade social.

Tiago finaliza o trecho de sua carta: "Vocês têm condenado e matado o justo, sem que ele ofereça resistência". Calvino faz um importante comentário sobre essa passagem:

> Aqui segue outro tipo de desumanidade. Os ricos, por seu poder, oprimiam e destruíam os pobres e fracos. Tiago declara, por meio de uma metáfora, que os justos eram condenados e mortos; porque quando eles não os matavam por sua própria mão, ou os condenava como se fossem juízes, eles empregavam a autoridade que tinham para fazer o mal, corrompendo os julgamentos e planejando vários artifícios para destruir os inocentes, ou seja, para realmente os condenar e matar.[19]

Tiago, observador das injustiças de seu tempo, aponta para mais um crime cometido pelo rico: suas mãos estavam sujas de sangue. Os pobres padeciam sob a tirania do poder econômico. Nada disso significa necessariamente que o rico estava envolvido em todos os casos de homicídio. Um judiciário comprado e grupos de milicianos certamente estavam envolvidos nessas atividades criminosas.

A hediondez do comportamento do rico avulta, em razão da completa vulnerabilidade do pobre, que, na sociedade daquele tempo, assim como nos dias de hoje, não tinha como resistir ao rico. Estamos, portanto, diante de uma lei sociológica: o poder econômico quase sempre está envolvido em práticas criminosas; seus tentáculos alcançam as instituições mais importantes do Estado; e, onde seu poder não encontra resistência, a opressão, a exploração e o assassinato se fazem presentes. Não há como ser romântico quanto a esse tipo de coisa.

CAPÍTULO 7

Libertando o pobre

O CHAMADO DE JESUS para a Igreja é fortemente direcionado à preocupação com os pobres. "Naqueles dias, outra vez reuniu-se uma grande multidão. Visto que não tinham nada para comer, Jesus chamou os seus discípulos e disse-lhes: 'Tenho compaixão desta multidão; já faz três dias que eles estão comigo e nada têm para comer. Se eu os mandar para casa com fome, vão desfalecer'" (Mc 8.1-2). Atente para este trecho: "... chamou Jesus os seus discípulos...". Nessa passagem, vemos o Senhor tratando com a Igreja do problema da fome dos necessitados.

Ninguém deveria ser mais receptivo à voz de Deus que aqueles que dizem ser cristãos. Bilhões de homens e mulheres declaram ter nascido de novo, mortos para a vida de pecado e renascidos em Cristo. Afirmam que o coração de pedra deu lugar ao coração de carne. Dizem estar absolutamente certos de que viviam nas trevas e que agora encontram-se na luz. Foram feitos templo do Espírito Santo. Sentem-se ligados a Cristo como os ramos à videira. Quando ouvimos pessoas afirmarem tais coisas, perguntas emergem: como esse colosso de ser humano pode ser insensível à voz do próprio Deus? O que o faz não se importar com o que importa a Deus? E o que importa a Deus? "Tenho compaixão desta multidão; já faz três dias que eles estão comigo e nada têm

para comer." Receber pelo Espírito Santo uma nova natureza implica pensar e sentir como Deus. Entre outras coisas,
isso também sempre significará compadecer-se daqueles que
não têm suas necessidades básicas supridas. Nós, cristãos,
estamos, portanto, diante de três fatos perturbadores:

1. *Pessoas como você e eu, portadoras de nossa natureza, que sentem exatamente o que nós sentimos, estão passando pelos mais diferentes tipos de privação.* Na minha
experiência de vida, passo frequentemente por dores que
me impedem de ser indiferente ao sofrimento do próximo. Nas horas em que a angústia me invade a alma, invariavelmente um pensamento me ocorre: como deverei me
comportar a partir de agora quando vir alguém passando por esse mesmo tipo de sofrimento que estou enfrentando? Como ignorar na vida do próximo essa espécie
de dor?

2. *O verdadeiro culto, o amor autêntico e a obediência
mais profunda representam, acima de tudo, levar a sério a
vida emocional do nosso Senhor e Salvador Jesus Cristo.*
Quando a Bíblia afirma que a fome o levava a se compade-
cer do pobre, isso significa que não podemos jamais ignorar a miséria humana.

3. *Cristo desabafa com sua Igreja.* Ninguém pode ser
mais sensível a essa voz do que seus membros. Jesus pediu
que não ignorássemos a pobreza. Onde houver gente sofrendo privações, temos de participar dos sofrimentos de
Cristo. A missão da Igreja é se deixar guiar pela compaixão do seu Senhor e Salvador.

É impossível viver certas experiências sem desenvolver
grande necessidade de ficar do lado do oprimido. Minha

atuação no Rio de Paz é, essencialmente, fruto da minha fé cristã junto com aquilo que tenho visto e ouvido em lugares onde a miséria prevalece. Lembro-me de quando, certo dia, alguém me pediu que conhecesse o lixão do aterro sanitário de Jardim Gramacho, em Duque de Caxias (RJ). Essa pessoa me disse algo assustador: "Antônio, você precisa ir lá. Soube do caso de uma mulher que comeu um braço humano encontrado no lixo". Não muito tempo depois, dois membros da Igreja Maranata apontaram o mesmo problema: "Antônio, estamos trabalhando no lixão de Gramacho. É impressionante a miséria que há naquele local". E não demorou muito para que membros da minha igreja passassem a visitar o local. O que me reportavam era extremamente triste: "Antônio, a miséria lá é pior que na favela do Jacarezinho". Por fim, meu filho Pedro, que não sai mais de lá, me contou: "Pai, é muita miséria e criança pobre".

Diante de tudo isso, decidi conhecer o local. O que vi me perturbou profundamente. Havia crianças para todo lado, naquele ambiente totalmente insalubre. Barracos de madeira, esgoto a céu aberto, falta d'água, porcos disputando espaço com seres humanos, desemprego, casas imundas edificadas sobre o lixo e o cheiro que é exalado pela usina de gás metano. Um odor doce, enjoativo, que fica impregnado na memória e na roupa. O mesmo que senti no morro do Bumba, em Niterói, após o desmoronamento de centenas de casas que haviam sido construídas sobre um antigo lixão, em 2010.

Desde que conheci locais como o lixão de Jardim Gramacho, perdi o respeito pelas autoridades públicas brasileiras. A meu ver, quem tem conhecimento daquilo e não faz nada é um criminoso. A desgraça da vida é conhecer essa gente que vive na miséria. Se tiver alma, você não consegue mais se desconectar dela; por isso precisamos visitar e mapear os bolsões de miséria do Brasil, a fim de exercer uma pressão sobre o poder público que lhe seja insuportável. Só assim deixaremos de viver em um país no qual seres humanos são tratados como lixo.

Uma pessoa cuja vida toca o meu coração e me faz pensar muito no pobre é Magna, empregada doméstica que trabalha em minha casa há quase 25 anos. Ela chega todos os dias às oito da manhã. Sempre que posso, procuro aguardá-la para tomarmos café juntos. Nessas ocasiões, sentamos à mesa e falamos sobre o evangelho, os problemas de sua comunidade, nossas lutas pessoais e os assuntos do dia. Ela faz do trabalho uma forma de culto a Deus: ama toda a minha família e vive nossas lutas como se fossem as suas. Magna tem sido um dos meus estímulos para lutar pelo pobre e combater as injustiças sociais. Penso frequentemente na quantidade de brasileiros iguais a ela, que não merecem ser tratados pelo rico Estado brasileiro da forma como historicamente o são. Sua família mora numa localidade na qual não há rede de esgoto nem água encanada. Ela e o marido terão de gastar seu 13º salário na construção de um poço artesiano. A ideia é que ele sirva apenas para lavar e tomar banho, pois análises feitas nas águas que abastecem os poços daquela região, chamada Marambaia, bairro do município de São Gonçalo (RJ), apontam um índice elevado de coliformes fecais. Por isso, a água que bebem é comprada no mercado.

O que há com o nosso país? Por que esse ainda é o drama de metade dos lares de brasileiros? Você consegue mensurar os problemas causados por se viver em bairros nos quais não há água encanada e rede de esgoto? Salário corroído, doença, desconforto, mau cheiro, morte. A você e a mim cabe dar voz a essa gente preciosa, que carrega a economia brasileira nas costas: construindo as casas em que moramos, dando banho em nossos filhos, varrendo as ruas, servindo-nos em restaurantes, fazendo trabalho penoso e pouco valorizado na condição de seres socialmente invisíveis.

Ao ver essa situação, fica claro que resumir a ética à filantropia é irresponsabilidade. Amar Magna e o pobre que nos serve é mais que dar salário acima do oferecido pelo mercado, doar a geladeira velha, mandar as roupas usadas dos nossos filhos para os filhos deles, reconhecer seus direitos trabalhistas. Levar a sério a vida desses brasileiros é dar visibilidade ao seu drama, cobrando políticas públicas e dando a eles poder de voz, para que possam gritar e ser ouvidos.

Amar politicamente é uma das formas mais sublimes de amor.

Como ignorar a miséria do moradores de Jardim Gramacho? Como não me revoltar ao ver a sétima economia do planeta submeter o pobre trabalhador a privação desnecessária? Magna, por exemplo, é a personificação da pobreza vivida por quem amo. Diante dessa realidade da qual não podemos fugir, qualquer pessoa com um mínimo de compaixão e empatia com o ser humano se pergunta: o que podemos fazer em favor do pobre? Neste capítulo, desejo falar sobre as consequências práticas do chamado divino para homens e mulheres, em especial a Igreja, cuidarem dos espoliados da vida.

Filosofia ociosa sobre a situação dos miseráveis da terra é uma provocação a Deus. Você e eu não temos o direito de desperdiçar nosso tempo com reflexões irresponsáveis, sem lágrimas de compaixão e mangas da camisa arregaçadas. Nos Evangelhos, não vemos Cristo dedicado à divagação sobre o "problema do mal". Nós o vemos *combatendo o mal*, de manhã, à tarde e à noite. Eu diria a quem filosofa mas não age de forma prática: vá filosofar na favela. É lá que Deus vai ajudá-lo a saber lidar com o "problema do mal". De nada vale ver como real problema intelectual aquilo com que você pouco se importa.

Essa não é, graças a Deus, a condição de todos. Muitos têm me perguntado o que podem fazer, como podem ajudar. Nem todos estão ganhando dinheiro com a miséria alheia, levantando recursos que em realidade não chegam a seus supostos destinatários, os pobres. Há muita gente boa disposta a cuidar desses por cuja vida Cristo sente compaixão. É para esses que me dirijo agora, com uma proposta real de atitudes que geram transformação.

Pregar o evangelho

A última coisa que quero na vida é ver meu trabalho no Rio de Paz dissuadir pessoas de pregar o evangelho de Cristo. Jamais foi minha intenção tornar a luta pela justiça social mais importante que a evangelização. Tenho procurado dizer desde o início da grande mudança que houve, em 2007, na minha vida: *a missão da Igreja é amar*. O amor precede a evangelização e o combate à miséria. O amor é que nos vai dizer o que fazer, momento a momento.

A evangelização, como expressão do verdadeiro amor, precisa, entretanto, ser sempre vista à luz do seu objetivo. Uma pergunta é essencial: qual é o produto final da pregação do evangelho? Que resultados temos em mente quando empreendemos esforços evangelísticos? A Igreja não está no mundo para conduzir uma evangelização que produza androides. A conversão verdadeira conduz o convertido à compaixão. O exercício da misericórdia é resultado lógico da assimilação do evangelho. A compaixão levará homens e mulheres convertidos a ter fome e sede de justiça.

A compaixão é consequência natural da conversão a Jesus do mesmo modo que o amor pela família, por exemplo. Você consegue imaginar uma pregação do evangelho que não conduza o marido a amar a mulher, a mulher a amar o marido e ambos a amar seus filhos? Por que haveríamos de separar a evangelização do amor pelo pobre? Um cristão que não cuida dos seus é péssima apresentação do evangelho, assim como um cristão que não ama o pobre é pura apresentação contraditória do evangelho. Ora, as boas-novas de Cristo afirmam que o homem é pecador porque não sabe amar. Por isso, Deus o chama tanto para se arrepender de sua incapacidade de amar quanto para buscar o perdão por meio de Jesus. Como essa mensagem pode levar alguém a fracassar no amor quando ele se faz mais necessário? Como deixar de amar justamente o que está mais quebrado pela vida?

A evangelização é central na missão da Igreja. Não se discute que a maior necessidade humana é a de reconciliação com Deus. Registros da história da humanidade, em todos os continentes, provam que fazemos pouco caso daquele que nos criou. Mais que isso: o odiamos, pois carregamos em nós uma natureza transgressora que bate de frente com a vontade moral do Criador. O cristianismo tem como objetivo revelar a natureza desse conflito entre o homem e Deus, mostrar o que o causou e declarar as condições impostas pelo Criador santo para que o homem seja salvo. Qual instituição, além da Igreja, está dedicada à missão de pregar essa mensagem ao mundo? Se os cristãos pararem de pregar o evangelho, ninguém mais o fará.

E por que pregar o evangelho ao pobre? Porque ele é pecador e a pobreza não o purifica de seu pecado. Chama muito a minha atenção aquela espécie de amor de Cristo pelo pobre que sempre o levou a instruir os necessitados a fim de que recebessem mais que o pão que dá vida ao corpo. O evangelista Mateus registrou nas Escrituras demonstrações práticas da compaixão de Jesus pelos homens: "Ao ver as multidões, teve compaixão delas, porque estavam aflitas e desamparadas, como ovelhas sem pastor" (Mt 9.36). Você quer saber o que Deus sente pelo que sofre? Aí está a resposta. No trecho imediatamente anterior dessa passagem bíblica, descobrimos o que a compaixão de Cristo o levava a fazer: "Jesus ia passando por todas as cidades e povoados, ensinando nas sinagogas, pregando as boas novas do Reino e curando todas as enfermidades e doenças" (Mt 9.35).

O que essa percepção nos leva a concluir? Que a compaixão de Cristo pelo oprimido o levava a pregar-lhe o evangelho. Por quê? Primeiro, porque o pobre precisa de perdão como qualquer outra pessoa. Ele faz parte da humanidade pecadora, que brinca com os céus e vive ferindo o seu semelhante. A vida na favela quebra qualquer romantismo com relação ao suposto caráter enobrecedor da pobreza. Na minha experiência de campo, vejo pobre matando pobre e pobre explorando pobre.

Recordo-me do dia em que fui forçado a participar do tribunal do tráfico numa favela carioca, experiência que muito me ajudou a ter uma visão menos ingênua sobre aquele lugar. Era início da noite. Estava na companhia do traficante que comandava aquela comunidade pobre, situada na zona norte do Rio de Janeiro. Ele sempre me permitiu que tivéssemos diálogos muito sinceros, falando com franqueza que muitos outros não tolerariam.

Foi quando vi se aproximar um casal que deveria ter pouco menos de 60 anos, acompanhado de um rapaz que aparentava ter uns 20. O homem e a mulher estavam apelando ao supremo tribunal da favela, esperando que o traficante julgasse sua causa contra o garoto pobre. A esposa disse:

— Esse rapaz trabalhava para a gente vendendo *pizza*. Certo dia ele me pediu que lhe comprasse uma motocicleta, para ajudá-lo a vender *pizza*. Foi o que fiz, mas o compromisso de pagar as prestações da moto era dele. O que acontece é que as últimas oito prestações não foram pagas, e tenho de arcar com todas as despesas. Eu sou empregada doméstica, trabalho muito e não acho justo bancar esse prejuízo.

O rapaz recebeu a palavra. Era um garoto pobre e trabalhador, mas enrolado. Quanto mais falava, mais se complicava. Comecei a temer por ele. A mulher prosseguiu:

— Peço que, pelo menos, ele me dê a moto para vendê-la e pagar as prestações que restam.

Isso representaria um golpe no pequeno negócio que o rapaz havia aberto na favela. Foi quando pedi permissão ao traficante para falar. Comecei por me dirigir ao rapaz da moto.

— Cara, você não poderia ter feito isso com essa senhora. Ela é trabalhadora e precisa desse dinheiro. Mas percebo que você é também trabalhador e não fez isso para prejudicá-la.

Em seguida me dirigi ao casal:

— Entendo a indignação de vocês. Não é fácil passar pelo que estão passando. Mas permitam-me dizer uma coisa.

Não era para vocês terem trazido esse assunto para cá. Certa vez li uma frase que dizia o seguinte: "Se a correção da injustiça praticada contra a sua vida representar a prática de uma injustiça ainda maior, mande para o inferno o seu senso de justiça".

Foi quando me virei para o traficante e disse:

— Olha, proponho uma coisa: eu pago as prestações com um cheque agora e resolvemos essa história. Ele entregar essa moto significa tornar sua vida mais difícil do que já é. O que você acha?

Graças a Deus, ele atendeu ao meu pedido. Contudo, subitamente aconteceu algo que jamais sairá da minha memória. O casal experimentou uma grande comoção. O marido virou-se para o rapaz e disse que reconhecia que ele não era má pessoa. A esposa expressou o mesmo sentimento. Quando me dei conta, estávamos todos na esquina da favela, no local onde todos os traficantes ficavam, com seus fuzis, pistolas e máquinas de contar dinheiro, e, juntos, oramos a Deus. O rapaz escapou incólume, nada aconteceu com ele. Continuou trabalhando na favela. Seu sonho passou a ser um dia servir-me de graça a sua *pizza*, segundo me disse.

Outro aspecto que destaca a importância da evangelização dos desassistidos é que o pobre precisa se livrar da favela que carrega em seu coração. Nesse sentido, sabemos, com base em provas empíricas, que o evangelho liberta. A servidão a conceitos que escravizam é a realidade da vida de muitos moradores de localidades pobres. Certa vez eu conversava com lideranças comunitárias de uma região de favela do Rio de Janeiro, local onde os moradores tiveram seus barracos desfeitos pelo governo a fim de que pudessem morar em apartamentos construídos pelo poder público. Eles me relataram que houve casos de moradores daqueles mesmos apartamentos que os venderam e voltaram a morar na favela.

Salta aos olhos o fato de que alguns valores culturais dessas comunidades escravizam o pobre. Não existe nada pior para essas pessoas do que levar uma mensagem que as faça se sentirem vítimas e não responsáveis pelos seus descaminhos. Como alguém já disse, a pregação do evangelho sempre terá o duplo efeito de acalmar os que estão perturbados e perturbar os que estão calmos.

É um rematado preconceito e, me atrevo até a dizer, vigarice dizer que a fé em Cristo conduz necessariamente o pobre à alienação. Sabemos, por registros históricos, que por onde o evangelho pleno e verdadeiro passa grandes obras de transformação social se seguem. Conforme ressalta o pastor Martyn Lloyd-Jones, apontando para o avivamento do século 18, que serviu de estopim para as grandes reformas sociais vividas pela Inglaterra:

> Tem-se alegado muitas vezes, e se pode provar, parece-me, que o movimento sindicalista de operários deste país surgiu indiretamente daquele avivamento. Foi porque homens, que antes eram ignorantes e levavam vidas de ébrios embrutecidos, foram transformados e nasceram de novo. Eles começaram a compreender a sua dignidade como homens e a exigir educação e melhores condições de trabalho, e assim por diante. Daí veio o movimento sindicalista dos operários.[1]

A evangelização, contudo, precisará ser acompanhada por um modelo de ensino que tenha por meta levar o pobre a conhecer as implicações práticas da assimilação do evangelho. Essa foi uma das preocupações do apóstolo Paulo quanto à vida dos cristãos da Roma do primeiro século: "Portanto, irmãos, rogo-lhes pelas misericórdias de Deus que se ofereçam em sacrifício vivo, santo e agradável a Deus; este é o culto racional de vocês. Não se amoldem ao padrão deste mundo, mas transformem-se pela renovação da sua mente, para que sejam capazes de experimentar e comprovar a boa, agradável e perfeita vontade de Deus" (Rm 12.1-2).

São incalculáveis as vantagens dos pregadores do evangelho quando se pensa em mudar a forma de pensar do pobre — e não há classe social que não careça de ter sua mentalidade transformada pela pregação. Todas, sem exceção, têm suas trevas peculiares. Percebo claramente, no caso do Rio de Janeiro, quanto os pastores são respeitados por muitos traficantes de drogas e pelos próprios moradores das favelas. O preconceito que experimento em muitos ambientes no Brasil no que se refere a líderes evangélicos — fruto, em grande parte, do péssimo exemplo dado por pastores que desfrutam de certa projeção no cenário nacional — não encontro no meu trabalho pastoral na favela. Determinadas verdades que digo a traficantes somente nós, pastores, podemos falar, graças ao respeito que eles nutrem pelos ministros do evangelho.

O ambiente cultural da favela é pré-moderno. Homens e mulheres lidam com a vida mediante categorias de pensamento que não foram afetadas completamente nem pela modernidade nem pela pós-modernidade. A noção de certo e errado, a fé no sagrado, a abertura para o sobrenatural, entre outras formas mais de pensar, criam um *background* intelectual que pode facilitar a vida dos pregadores, missionários e evangelistas. Favela não é lugar para apologética cujo objetivo é apresentar pistas da existência de Deus.

Há o extremo oposto. Em razão de não terem chegado ainda à modernidade e muito menos à pós-modernidade (modos um tanto quanto arbitrários de lidar com a história da filosofia), o discipulado torna-se mais difícil nas ocasiões em que depende daquilo que há de bom em ambas as formas de pensar e que pode ser encontrado perfeitamente no cristianismo puro e simples.

É da natureza do cristianismo demandar o uso do cérebro. Pode acontecer de, por conta do ambiente extremamente místico, termos de ensinar às pessoas que crer é também pensar. Note que não estou dizendo que só há ignorantes entre os pobres; pelo contrário, há muita gente brilhante e que revela grande conhecimento e uso de raciocínio lógico dentro do campo de saber que domina. Percebe-se, contudo, que o misticismo encontrado em setores inteiros da classe média está presente em grau elevado nas comunidades pobres brasileiras, o que pode gerar problemas. Em vez de procurar o banco da escola e o trabalho duro para superar a pobreza, quem vive nesse ambiente pode ser levado a esperar que declarações vazias de fé resolvam suas necessidades financeiras. Lembro-me de ter visto certa vez, pela televisão, um pregador neopentecostal irresponsável declarar que quem tomasse banho com o sabonete que ele estava vendendo ficaria curado de seus males sentimentais. Por que esses programas existem? Porque tem quem acredite.

Observo também a dificuldade do rompimento com certos valores que os moradores têm como absolutos e que os impedem de viver a liberdade cristã. Há algo de anarquista no cristianismo, que poderíamos chamar de pós-moderno, e que chama a Igreja a convidar o mundo a provar da libertação evangélica. Não falo sobre a supressão das normas morais, mas da perturbação que causa à mente do verdadeiro cristão a forma como algumas dessas leis são elaboradas e impostas pelos homens. Está sempre presente, portanto, o desejo de que algo seja derrubado a fim de que o mais condizente com a dignidade humana seja posto no lugar. Ocorre que este mundo encontra-se sob o jugo de padrões de comportamento arbitrários e socialmente construídos. O apóstolo Paulo escreveu à igreja que ficava na antiga região da Galácia: "Foi para a liberdade que Cristo nos libertou. Portanto, permaneçam firmes e não se deixem submeter novamente a um jugo de escravidão" (Gl 5.1). Na sua primeira carta a Timóteo, encontramos esse mesmo espírito anárquico:

> O Espírito diz claramente que nos últimos tempos alguns abandonarão a fé e seguirão espíritos enganadores e doutrinas de demônios. Tais ensinamentos vêm de homens hipócritas e mentirosos, que têm a consciência cauterizada e proíbem o casamento e o consumo de alimentos que Deus criou para serem recebidos com ação de graças pelos que creem e conhecem a verdade. Pois tudo o que Deus criou é bom, e nada deve ser rejeitado, se for recebido com ação de graças, pois é santificado pela palavra de Deus e pela oração.
>
> 1Timóteo 4.1-5

Paulo aprendeu isso com Cristo, que profetizava aos fariseus:

> Então, Jesus disse à multidão e aos seus discípulos: "Os mestres da lei e os fariseus se assentam na cadeira de Moisés. Obedeçam-lhes e façam tudo o que eles lhes dizem. Mas não façam o que eles fazem, pois não praticam o que pregam. Eles atam fardos pesados e os colocam sobre os ombros dos homens, mas eles mesmos não estão dispostos a levantar um só dedo para movê-los".
>
> Mateus 23.1-4

Assim, afirmo, sem medo de errar, que apresentar os desdobramentos do evangelho para a vida como um todo em comunidades pobres brasileiras representará ensinar o pobre a ser salvo do Brasil. Há elementos da cultura brasileira que escravizam todos e que não deixam a vida do pobre passar incólume. Poderia falar, por exemplo, sobre a cultura do machismo, a da procrastinação, a do atraso, a da falta de respeito pelos direitos humanos, a do descaso pelo espaço público e a da alienação política.

Chegou a hora de levarmos nosso país a transcender a si mesmo pelo contato com o evangelho libertador de Cristo. Para isso, entretanto, precisaremos de pregadores mais bem preparados intelectualmente, que consigam lançar olhar crítico não preconceituoso sobre a cultura nacional e que saibam tornar a dinâmica da vida da Igreja uma atmosfera promotora do saber, do desenvolvimento, da liberdade e da vida. Se o evangelho entrar desse modo no sertão, nas comunidades pobres do Amazonas e nas favelas do Sudeste, veremos emergir pobres que surpreenderão o mundo com habilidade, talento, criatividade e inteligência.

Fazer-se presente

A experiência de campo é insubstituível. Meu batismo na favela alterou por completo o curso de minha vida, pois algo acontece quando passamos pela experiência de manter contato, sem intermediários, com a pobreza. Há fatos referentes à desigualdade e à injustiça social que você só conhecerá se puser os pés em uma comunidade pobre. Não espere conhecer a realidade dos problemas sociais do Brasil apenas pelos meios de comunicação. Você tem de ir lá, fazer-se presente.

A grande pressuposição do pensamento antropológico deveria ser levada em consideração por todo que tenciona fazer algo pelo pobre. Embora não concorde por completo com a declaração, uma vez que não creio em ruptura total com pressuposto intelectual, acredito que, em alguma extensão, fazer tábula rasa do conhecimento da miséria do mundo antes do contato de campo é ideal a ser perseguido por quem deseja intervir em locais de exclusão, privação e vulnerabilidade.

> A abordagem antropológica de base, a que todo pesquisador considera hoje como incontornável, quaisquer que sejam por outro lado suas opções teóricas, provém de uma ruptura inicial em relação a qualquer modo de conhecimento abstrato e especulativo, isto é, que não estaria baseado na observação direta dos comportamentos sociais a partir de uma relação humana.[2]

Nesses anos de ministério nas favelas do Rio, percebi que pesquisadores, jornalistas e líderes de ONGs podem apresentar — e apresentam — pontos de vista distorcidos da realidade. Todos estão expostos a visão preconceituosa, ideologia cega, interesses econômicos e medo. Podemos entrar na favela crendo que o homem é basicamente bom e que o meio é que o corrompe. Todavia, isso levaria o pobre a tão somente se vitimizar, sem jamais se tornar autor da própria vida, reconhecer seus erros e mudar de rumo. É possível, por outro lado, esperarmos o pobre transcender à pobreza sozinho, por só vermos responsabilidade pessoal na miséria, ignorando as barreiras políticas intransponíveis, criadas por homens perversos.

Tudo isso pode virar notícia, pesquisas e filmes. Pesquisadores podem depender do patrocínio do poder público para levar a cabo suas pesquisas, e, portanto, se recusarem a apresentar dados que tornarão o partido que está no poder exposto à execração pública. O dono do jornal, por conta das verbas milionárias que recebe para fazer propaganda do governo, pode bloquear toda a informação apurada por fotógrafos e repórteres, pelo simples fato de ela prejudicar a carreira política de quem mantém financeiramente o jornal. Certo jornalista de ponta do Rio de Janeiro foi à minha casa me entrevistar. Ao final da entrevista, ele acabou abrindo o coração comigo, falando das agruras que sofre no exercício da profissão. Disse-me de um trabalho de jornalismo investigativo que havia feito, que apontava para um escândalo de corrupção no estado, envolvendo uma grande empresa. Relatou ter posto na mesa do editor um extenso dossiê, digno de matéria de primeira página. Ao que seu editor lhe disse: "Não posso publicar. Isso vai de encontro aos interesses do nosso jornal". Relatos dessa natureza já ouvi da boca de muitos outros jornalistas.

Logo no início do Rio de Paz, de tão horrorizado que estava com a violência do Rio, procurei um líder de ONG a fim de que fizéssemos passeata até a sede do governo do estado. Percebi que ele não apenas se opôs à ideia, como a repeliu com ira. Tempos depois fui saber que ele recebe uma fortuna do governo para manter seus projetos sociais.

Quando se fala em trabalho em áreas de miséria sob domínio armado de uma facção criminosa e nas quais há atuação da banda podre da polícia, há muito que não pode ser dito sob pena de expormos à morte tanto a nossa vida quanto a de quem mora ou trabalha conosco nessas comunidades. A liberdade de expressão cai significativamente quando atuamos em áreas nas quais a pobreza está associada à violência armada.

190 | CONVULSÃO PROTESTANTE

Obviamente, o contato direto com o pobre concede-nos autoridade para falar. Cansei de ter de fazer afirmações como "Meu contato com a favela me impede de dizer o que muitos afirmam e dão como certo" ou "O que você está falando não bate com o que vejo". Posso afirmar, sem receio, que aprendi na favela o que não aprendi em lugar nenhum.

Fazer-se presente o faz afeiçoar-se a pessoas. O problema é ir lá. Se você for, nunca mais sairá. Lembro-me da primeira vez que fui à favela do Jacarezinho, a convite de um antigo morador, líder comunitário e profundo conhecedor da relação entre tráfico e polícia. Foi um choque. Vielas fétidas, escuras e cortadas por valas negras de esgoto. Um mar de gente. Casas em cima de casas. Usuários de *crack* disputando espaço com o lixo. Pistolas e fuzis para todo lado. Ao voltar para casa, na subida do vão central da Ponte Rio-Niterói, fui tomado pelo desejo de desistir. Por instantes, não via sentido em me dedicar ao que parece não ter solução. Àquela altura, contudo, não podia mais voltar atrás. Meu cristianismo fazia-me sentir responsável por aquela realidade, e havia pessoas que eu começava a amar. Foi a luta da desesperança contra o amor. Nessas horas, o amor só vence se o compromisso com a causa do pobre tiver como fundamento o contato com pessoas reais, que passaram a fazer parte de sua vida.

Estar entre os pobres fará que sua Bíblia ganhe novas cores e você passará a ver nela o que jamais enxergou. Minha pregação foi profundamente afetada. Não mudei de teologia, continuo calvinista: o que mudou foi que passei a pregar sobre aquilo que jamais levei ao púlpito. Não houve subtração; houve acréscimo. Algo foi incorporado, e, agora, não dá mais para deixar de lado.

O mais maravilhoso é saber que essa história de fazer-se presente na favela e servir aos pobres representa nada mais, nada menos, que viver a vida que o próprio Cristo viveu. Não sei como pastores permitem que seu ministério seja mais regulado pela vida de pregadores famosos do presente ou do passado do que pela vida do próprio Cristo. Faço algumas sugestões aos cristãos brasileiros, em especial aos pastores. Procure mapear os bolsões de miséria da cidade onde mora. Isso é dever moral. Visite essas comunidades. Leve pessoas que possam atuar como voluntárias. Convide possíveis investidores. Quem for será marcado para sempre.

Não foi fácil para os membros da minha igreja verem as causas sociais me tirarem do dia a dia da vida na congregação. Houve quem optasse por sair da igreja e procurar outra. Gente ficou ressentida. Já quase todos os que foram à favela, visitaram as prisões e tiveram contato com parentes de vítimas da violência não apenas passaram a entender essa nova fase do meu chamado, como também tornaram-se cooperadores maravilhosos. "Os justos levam em conta os direitos dos pobres, mas os ímpios nem se importam com isso" (Pv 29.7).

Dar esmola

A Bíblia relata que Jesus, em determinado momento de seu ministério, passou a tratar do problema da ansiedade, e a apresentar os motivos teológico-evangélicos para que seus discípulos não se entregassem às inquietações. Seu discurso é de uma beleza que convence a mente, aquece o coração e encanta a alma. Ele se dirige ao povo e diz:

> Não busquem ansiosamente o que comer ou beber; não se preocupem com isso. Pois o mundo pagão é que corre atrás dessas coisas; mas o Pai sabe que vocês precisam delas. Busquem,

pois, o Reino de Deus, e essas coisas lhes serão acrescentadas. Não tenham medo, pequeno rebanho, pois foi do agrado do Pai dar-lhes o Reino.

Lucas 12.29-32

Dentro desse contexto, logo em seguida Cristo fala sobre dar esmolas:

Vendam o que têm e deem esmolas. Façam para vocês bolsas que não se gastem com o tempo, um tesouro nos céus que não se acabe, onde ladrão algum chega perto e nenhuma traça destrói.

Lucas 12.33

O cristianismo não lida com nenhum problema da alma humana sem fazer apelo à mente, com base em sólido fundamento teológico. Jesus apresenta as razões da razão iluminada pelo evangelho a fim de que o coração tenha paz num mundo em que tudo parece levar o homem para o abismo do desespero. É como se ele dissesse: "Os gentios têm o direito de se desesperar, mas vocês não". Os pagãos são apontados por Cristo como quem vive em função deste mundo, sem descanso para a alma e entregues ao medo, porque seu sistema de pensamento os leva a viver em estado de pavor. Quando chegam ao ponto de acreditar em Deus, creem num ser que não é suficientemente capaz de solucionar seus problemas, cujo amor carece de lastro e evidência histórica.

Quem eram os gentios? Os gentios eram todos aqueles que não faziam parte do povo de Israel. E o que distinguia Israel dos demais povos é o fato de que Deus havia se revelado a ele como não o fizera a nenhum outro povo do planeta. Naqueles dias, o Deus de Israel estava suplementando sua revelação por meio do evangelho trazido por Cristo. Tudo isso estabelecia uma diferença abissal entre a forma cristã de ver e se relacionar com Deus e o modo como os demais povos concebiam a divindade.

Um ponto era central. Cristo havia revelado o Pai ao seu povo. Ele ensinara seus discípulos a não se relacionar com Deus, mas, sim, a se relacionar com o Pai — é uma diferença colossal. O povo de Deus passara a crer finalmente num Deus zeloso pela felicidade do seu povo e cujo amor era ilimitado, amável, leal e doce. O argumento de Jesus é fortíssimo: "Mas o Pai sabe que vocês precisam delas". Isto é: "Não se comportem como se tudo isso fosse mentira. Não duvidem de caráter de Deus".

Em seguida, Cristo diz que, livres do medo, seus discípulos deveriam concentrar-se no reino de Deus, na firme certeza de que o necessário para viver lhes seria acrescentado. Se eles se preocupassem com o que preocupava Deus, Deus se preocuparia com o que lhes preocupava.

Em conexão com isso, numa forma de argumentação que cresce passo a passo em força, Cristo os exorta diretamente a não temer: "Não tenham medo". Só Deus pode dizer isso ao homem; ser humano algum pode, pois só um louco ousaria afirmar o que não pode bancar. Apenas um idiota para acreditar em promessas que não podem ser cumpridas.

O Senhor Jesus prossegue: "... pequeno rebanho...". Pequeno, mas precioso aos olhos do que o salvou, e que se tornou protetor dos que fizeram dele o seu pastor. Por que esse pequenino rebanho não deve temer? "... pois foi do agrado do Pai dar-lhes o Reino". A Igreja não deveria deixar as preocupações dos gentios a levar ao desespero quanto ao sustento, porque o principal lhe estava assegurado.

O pequeno rebanho haveria um dia de entrar no reino de Deus. O Pai sente prazer no propósito de oferecer salvação eterna para aqueles que serão salvos. O Pai sente amor complacente na salvação da Igreja; é algo para o qual olha e se alegra. Conclusão: o Deus que decretara o fim, a salvação do seu povo, haveria de prover todos os meios necessários para que seu grande propósito se cumprisse.

Dentro desse contexto, surge a questão do socorro ao pobre: "Vendam o que têm e deem esmolas...". Isso é mais que ética, é raciocínio lógico! O feitiço foi quebrado na vida dos discípulos, e, agora, eles eram livres para abrir mão do que, nesta vida, mais oferece ao homem segurança: a posse de riqueza. Essa pessoa, finalmente livre do foco em si mesma, resultante da forma neurótica de lidar com o mundo, agora é tornada livre para cuidar de gente que está passando por reais necessidades na vida.

Cristo não está decretando o fim da propriedade privada. Não deparamos, em outras passagens das Sagradas Escrituras, com nenhuma proibição de os discípulos terem posses. O que certamente Jesus está falando é sobre uma queda no padrão de vida do cristão a fim de que tenha o que oferecer ao pobre. Dar esmola não significa vender a casa onde mora, encher o carro de dinheiro e sair por uma avenida da cidade distribuindo irresponsavelmente os recursos que Deus lhe deu para administrar sabiamente. A oferta em amor ao pobre pode e deve ser inteligente. Por exemplo, pode envolver a realização de uma reforma da casa de alguém que vive muito mal, ou quebrar o círculo da pobreza numa família, fazendo que um jovem pobre seja sustentado até sua entrada na universidade.

É fato que, muitas vezes, a esmola será oferecida a quem cruzou o nosso caminho e não conhecemos. Nessas horas, nas quais não temos evidência se estamos diante de um vagabundo ou de um real necessitado, é melhor pecar sempre por amor, socorrendo quem pede ajuda.

Aqueles mais afeitos às causas políticas podem julgar tudo isso muito ingênuo e ineficaz. Essa esmola some no oceano de injustiças sociais e dos problemas estruturais que tornam a vida do pobre infeliz. Mas isso nem sempre é verdadeiro. Em meu trabalho nas favelas do Rio de Janeiro, todos os dias vejo pobres que não estão em condição de esperar pela benevolência do Estado para ser socorridos. Se não houver a solidariedade da sociedade e da Igreja, eles perecerão.

Lembro-me de um caso que acompanhamos bem de perto, cuja família precisou de ajuda imediata para se manter. Falo sobre o drama vivido pelo taxista Paulo Roberto e sua mulher, Alessandra. Ela estava dirigindo, numa tarde de domingo, quando houve uma ação policial súbita, numa rua da Tijuca, bairro da zona norte do Rio de Janeiro. Policiais militares perseguiam um bandido que dirigia um carro. Ao passarem pela rua na qual Alessandra estava, confundiram seu automóvel com o do bandido. Ela conta ter se virado para um dos filhos que estavam no carro, João Roberto, de apenas 3 anos, e ter pedido que ele se agachasse. Suas últimas palavras foram: "Por que, mamãe?".

O carro de Alessandra foi metralhado pelos policiais militares. Quando soube do drama da família, por meio do desabafo do pai numa entrevista a uma emissora de rádio, corri para o hospital em que estavam, em Copacabana, a fim de levar a todos alguma consolação. Nunca mais me esquecerei daquele dia. Após uma conversa sofrida com Paulo Roberto, subimos a um dos andares do hospital,

196 | CONVULSÃO PROTESTANTE

onde havia um quarto. O que eu não sabia é que se tratava do quarto no qual o pequeno João Roberto estava. Seu coração ainda batia. Ao seu pequeno corpo, coberto por um lençol, estavam conectados muitos fios. Paulo Roberto chorava, dizendo: "Meu filho, meu filho... jamais me esquecerei de você". Minutos depois, João Roberto morria.

Fiquei amigo da família. Fui ao enterro. Fizemos protestos. No dia em que seria o aniversário de João Roberto, fui à casa do casal, na Tijuca. Pedi a um amigo que advogasse para a família, cobrando do Estado indenização e pagamento de tratamento psiquiátrico para todos. Graças a Deus, conseguimos. Um dia, Paulo virou-se para mim e disse: "Antônio, não estou mais conseguindo trabalhar. Todo passageiro que entra no meu táxi me reconhece por causa da repercussão do caso e das entrevistas. Aí começa a chorar, o que me faz reviver todo o meu sofrimento. Tive de parar por um tempo, até me refazer. Você teria como me ajudar?". Foi o que fiz. Ajuda pequena, mas que fez certamente alguma diferença para ele, uma vez que a indenização do Estado, até então, não havia saído.

São incontáveis as experiências análogas a essa que temos vivido, nas quais não dá para esperar pela intervenção do governo. Imagine o que seria do Brasil se há vinte anos famílias de classe média tivessem adotado para a escola meninos e meninas pobres das favelas brasileiras. Deus ama esse tipo de singeleza política, que não espera a reforma social acontecer para fazer o bem que pode ser feito.

Há algo que as igrejas de classe média do Brasil poderiam perfeitamente fazer: lotar caminhões de doações e levar para igrejas de comunidades pobres. Por que não organizarmos mutirões para reformar casas de cristãos pobres e para ajudar a terminar a construção de igrejas?

Obras como essas estão em plena harmonia com a responsabilidade que temos com a nova família da qual passamos a fazer parte desde o primeiro minuto de nossa conversão: "Portanto, enquanto temos oportunidade, façamos o bem a todos, especialmente aos da família da fé" (Gl 6.10). Por que circunscrever, entretanto, o exercício da misericórdia apenas à vida da igreja, e não ampliá-lo, incluindo também famílias não cristãs? Em suma, dar esmola é uma forma de ajudar o necessitado: "Quem é generoso será abençoado, pois reparte o seu pão com o pobre" (Pv 22.9).

Levar obras de desenvolvimento humano

Um dos heróis da independência dos Estados Unidos, o advogado cristão John Adams, que veio a se tornar presidente de seu país, disse algo, certa vez, que nos ajuda a entender o subsequente desenvolvimento da jovem nação da América do Norte:

> Eu devo estudar política e guerra a fim de que meus filhos possam ter liberdade para estudar matemática e filosofia. Meus filhos devem estudar matemática, filosofia, geografia, história natural, arquitetura naval, navegação, comércio e agricultura a fim de dar aos seus filhos o direito de estudar pintura, poesia, música, arquitetura, escultura, tapeçaria e porcelana.[3]

Estou certo de que, antes de ensinar o morador da favela a tocar berimbau, deveríamos ensiná-lo a desenvolver habilidade profissional que lhe permita entrar no mercado de trabalho. Não há nada mais importante que prepará-lo para o exercício de uma profissão, ajudando-o a ter renda própria, a resgatar sua autoestima, a ser útil para o desenvolvimento do país e deixar de depender do assistencialismo do Estado. O alerta feito pelo economista indiano Amartya Sen deveria ser levado a sério por todos nós:

> Há provas abundantes de que o desemprego tem efeitos abrangentes além da perda de renda, como dano psicológico, perda da motivação para o trabalho, perda de habilidade e autoconfiança, aumento de doenças e morbidez (e até mesmo taxas de mortalidade), perturbação das relações familiares e da vida social, intensificação da exclusão social e acentuação de tensões raciais e das assimetrias entre os sexos.[4]

Essa é uma das tarefas para as quais temos nos dedicado na favela do Jacarezinho. Moradores de muitas comunidades carentes da cidade, traficantes e egressos do sistema prisional têm nos procurado para fazer nosso curso de qualificação profissional, visando à inserção no mercado de trabalho da construção civil. Comove-nos vê-los tomados de emoção por ter recebido o primeiro diploma e ganhar a primeira carteira de trabalho. Mais de 80% deles já estão empregados.

As igrejas poderiam operar grandes transformações nas comunidades pobres caso se dispusessem a entrar nelas levando o evangelho que ensina o homem a trabalhar tanto para a vida eterna quanto para esta. O potencial que temos é imenso e nenhum movimento social o possui. São milhões de cristãos protestantes espalhados por todo o território nacional. Um mar de profissionais que poderiam levar desenvolvimento de habilidades profissionais e consciência de direitos e deveres às regiões pobres do Brasil. Que legado deixaríamos nesses locais de exclusão se ajudássemos as pessoas a se situar no mercado de trabalho e no mundo que as cerca!

O que poderia ser feito? Plantar uma igreja ou começar uma ONG que ocupasse alguma área dentro da comunidade. Para nós, do Rio de Paz, foi fundamental ter contatos antes de entrarmos. Uma coisa é trabalhar com o pobre, outra é trabalhar com o pobre em área sob domínio armado de uma facção criminosa. As igrejas que já atuam nessas regiões podem servir de cabeça de ponte.

Até hoje, antes de sair de casa e ir às favelas nas quais temos projetos sociais, pergunto para nosso pessoal que trabalha e mora lá dentro se é possível ir. A experiência de estar no meio de um fogo cruzado entre policiais e traficantes é das mais desconfortáveis que se possa imaginar. Você se sente como um pedaço de papel, totalmente vulnerável.

Uma contingência da vida, que eu chamaria de providência divina, levou-me a criar uma relação de confiança desde o início com os moradores das favelas em que atuo. A manifestação que nos fez fincar cruzes na favela, por exemplo, não foi planejada com o objetivo de termos o direito de atuar na comunidade. Fizemos o protesto sem saber das consequências. Quando nos demos conta, percebemos que os moradores e até os traficantes interpretaram o que fizemos como gesto de compromisso com o pobre. Conforme já disse, mediante essa relação de confiança, à qual associamos número incontável de obras filantrópicas e ações que expuseram em demasia a nossa vida, conquistamos espaço que não trocaríamos pela mais bem situada propriedade na região mais rica da cidade.

Na ocupação da favela do Jacarezinho, em 2012, decidi passar a noite na comunidade, junto com um morador da favela, que é voluntário do Rio de Paz, a fim de, desde a madrugada, acompanhar a chegada da polícia, fazendo registro fotográfico e atuando como observadores. Nosso objetivo era averiguar se haveria violação dos direitos humanos por parte das forças policiais. No dia da ocupação, conversei com muitos moradores, para saber como tinha sido. O comportamento da polícia, até onde sabemos, foi exemplar. Recordo-me de uma moradora me dizer: "Olha, o policial entrou na minha casa para fazer a revista e deixou o fuzil na porta, em respeito a nós". Acordamos com o barulho dos helicópteros e fomos direto para um ponto privilegiado da favela, do qual nos era possível observar parte da ocupação. Tenho registros de imagem da noite anterior ao dia da ocupação e da chegada da polícia que reputo extremamente valiosos.

Nossa presença naquele local chamou a atenção da polícia. Sem que soubéssemos, foi solicitado a um atirador de elite que, pela luneta do seu fuzil, procurasse averiguar se estávamos armados. E eu com minha câmera de fotografar na mão. Ele conta que estava com o dedo no gatilho, pronto para atirar, uma vez que não estava disposto a morrer por um tiro disparado por traficantes, quando focou em nós. Tomado de surpresa, disse: "O que o Antônio está fazendo neste lugar?". Esse policial era um amigo, frequentador de nossa igreja, que, depois do ocorrido contou-me o que acabei de relatar. Além de ter visão muito boa, ele foi muito prudente naquele dia. Isso porque, ao chegar perto de onde estávamos e olhar para cima, apenas fez um sinal com as mãos para mim, deixando passar que me avistara. Se não fosse sua experiência como policial, eu poderia ter passado por uma situação extremamente difícil. Aquela discrição foi muito importante. Um dos crimes mais odiados em comunidades pobres é servir de X-9, isto é, trabalhar como olheiro da polícia. Imagine se pensassem que eu estava ali passando informações para policiais. É claro que uma história como essa toca o coração da favela, o que me leva a dizer que a defesa dos direitos humanos e as obras de filantropia em comunidades pobres podem abrir as portas para a chegada de cristãos desejosos de servir ao pobre.

Saber chegar é fundamental. Aqui estou apenas oferecendo um esboço para a ação, e isso com base em minha experiência pessoal. É claro que essa história não tem de ser repetida. Não há homogeneidade nas comunidades pobres nem nas formas de atuação de Deus. Cada um terá de encontrar o seu caminho. Entrar como ONG cristã tem nos ajudado enormemente em nosso trabalho. Tenho o respeito da comunidade por ser pastor e dirigir o Rio de Paz com base nos valores do cristianismo. Ao mesmo tempo, temos conseguido desenvolver parcerias com instituições que não trabalhariam conosco se tivéssemos entrado como igreja. Enquanto escrevo este livro, damos início a uma parceria com instituições europeias não cristãs, com o objetivo de levar esporte e educação para meninos e meninas de favelas brasileiras.

Quanto às crianças, julgo que a bola, o lápis e o violão podem salvar vidas. O trabalho com os adultos tem sido feito em parceria com uma construtora da cidade, que tem pago todos os custos dos cursos de qualificação profissional. Outro ponto importante, que se relaciona ao fato de quanto entrar como ONG pode ser útil: a mão de obra valiosa de não cristãos. Não teríamos chegado aonde chegamos sem eles.

Além dos cursos profissionalizantes, organizados em parceria com grandes empresas e as mais diversas instituições, a criação de um banco de horas pode ser de utilidade incalculável. De posse da área, podemos lançar uma campanha para que pessoas reservem parte do seu tempo para oferecerem cursos, dentro da comunidade, em suas áreas de especialidade profissional. O indivíduo pode se comprometer, por exemplo, a dar uma hora da sua semana para o projeto social.

A meta é ajudar o pobre a se dar conta de que seu problema não é genético, que seu "carma" não é viver como pobre, ou que é da natureza da vida em sociedade uns serem ricos e outros viverem na miséria. O alvo é ajudar cada uma dessas pessoas a perceber a maravilha que ela é, uma vez que é um ser humano criado à imagem e semelhança de Deus — em condições, portanto, de contribuir para todas as áreas do saber humano. Que chamado! Que experiência magnífica é ver o homem tomar consciência da riqueza do seu ser!

Praticar o amor político

Eu estava na favela Mandela, onde começou a mudança em minha trajetória, quando vi meninos pobres se lançando no rio Jacaré, que corta diferentes comunidades carentes da cidade. A aparência pastosa da água, o mau cheiro, os ratos e os objetos boiando me levaram a pedir um exame da água. Minha intenção era apresentar a evidência de mais uma grave violação de direitos sofrida por crianças e adolescentes que vivem na pobreza.

Uma socióloga, voluntária do Rio de Paz, conseguiu com o Instituto Estadual de Ambiente (Inea) o resultado de estudo que havia sido feito sobre aquele rio. O que se descobriu era assustador: 3,5 milhões de coliformes fecais por cem mililitros. Em outras palavras, as crianças nadavam em fezes.[5]

Por que os meninos do Mandela nadam no rio Jacaré? Porque vivem num local onde não há área de lazer. Acordam e não têm o que fazer. Havia uma piscina construída pelo tráfico, que, após a ocupação, foi vetada às crianças pela polícia. Outra opção de diversão era o campo de futebol com piso de barro, repleto de cascalho, pedra e buracos. Uma cerca enorme, que circundava o campo, ameaçava cair sobre a cabeça de quem ousava jogar bola naquele lugar. Foi o que eu disse aos dirigentes do Comitê Olímpico Internacional, a quem levei, em 2014, para conhecer a favela. Estávamos à beira do rio quando fui enfático: "Daqui não sairão nadadores, iatistas ou remadores olímpicos".

Tomamos as seguintes decisões: primeiro, enviar fotos e vídeos dos meninos nadando no rio Jacaré para os meios de comunicação e postá-los também nas redes sociais. Ao mesmo tempo, convidamos a imprensa para visitar o local. Fizemos muito barulho. Mas não dava para parar aí. Enviei um *e-mail* para o prefeito do Rio de Janeiro, Eduardo Paes (PMDB), solicitando um tempo para conversarmos. Ele me recebeu prontamente. Entre outras coisas, falei sobre o drama das crianças do Mandela e fiz um pedido simples. Pedi que o campo de futebol da comunidade fosse reconstruído, a fim de que a criançada tivesse ao menos uma opção de lazer. Lembro-me de tê-lo visto, na minha frente, dar um telefonema e passar o caso para alguém. Resumindo a história, o campo foi refeito. Hoje, com alegria, vejo ali funcionar uma escolinha de futebol e as crianças poderem brincar sem receio de se machucar. Sei que não estou falando da solução para um problema de grandes proporções, como a seca no Nordeste, a reforma do sistema prisional ou da ampliação da rede pública hospitalar. Refiro-me a um campinho de futebol sem arquibancada, cobertura ou vestiário. Essa história, contudo, é profundamente emblemática. Ela chama nossa atenção para fatos vitais.

Essa experiência ressalta a importância de manter contato com o pobre, conhecendo de primeira mão seu sofrimento. A ação baseada em dados concretos, extraídos de órgãos públicos competentes, também é fundamental. Outra ação importantíssima: dar visibilidade à violação de direitos, chamando a imprensa para ampliar a voz do protesto. Nós conseguimos que esse caso tivesse destaque no jornal *O Globo* e aparecesse nas versões *on-line* da *Folha de S. Paulo*, do *Estadão* e da *BBC* de Londres. Por meio de agências internacionais de notícia e programas de televisão do Rio de Janeiro, tivemos sucesso em fazer que o ocorrido chegasse ao conhecimento de milhões de pessoas e, certamente, do poder público.

As crianças da favela Mandela precisavam ser amadas com amor político. Quando uso essa expressão, refiro-me ao fato de que o problema delas é político e, portanto, demanda ações do poder público. Que igreja teria recursos para impedir que a polícia entre atirando na comunidade ou para fazer a dragagem do rio Jacaré, limpar suas águas (que deságuam na baía de Guanabara), derrubar os barracos e construir moradias dignas, levar rede de água e esgoto, oferecer educação de qualidade a todas as crianças, construir hospitais que atendam os milhares de habitantes das quatorze favelas que compõem o Complexo de Manguinhos?

Isso sem falar da importância de procurarmos a autoridade pública e cobrarmos o cumprimento do que já está prescrito pela Constituição Federal. Veja também o valor incalculável de a Igreja não querer ocupar o lugar do

Estado, mas, por meio da ação cidadã dos cristãos, fazer o poder público cumprir sua função constitucional e dar finalidade justa à fortuna de impostos que arrecada. O campo de futebol do Mandela foi construído sem que saísse um só centavo do caixa de qualquer igreja, embora tenha saído do bolso de seus membros, que pagam impostos ao Estado.

No próximo capítulo, pretendo apresentar alguns desdobramentos do amor político no dia a dia das igrejas e dos cidadãos em geral.

CAPÍTULO 8

Desdobramentos do amor político

COMO VIMOS, O AMOR político é extremamente necessário e, até mesmo, primordial para que haja uma maior expressão de cuidado com o pobre e uma sociedade mais justa. Nesse sentido, nossos olhos se voltam para a Igreja e vemos que a ação política é uma expressão do verdadeiro amor que é ignorado por grande parte dos cristãos. Convencer a Igreja de que existe uma dimensão política no amor não é fácil. Quando tomei a decisão de dar início às manifestações de rua e protestar contra as flagrantes injustiças sociais do Brasil, percebi com bastante nitidez a dificuldade de muitos cristãos entenderem a causa que havia decidido abraçar. O que leva pastores e membros de nossas congregações a ignorar as questões de natureza política? As causas da falta de engajamento político por parte da Igreja são muitas.

A primeira é a ausência de amor mesmo. Não acredito que o problema seja apenas intelectual. Há um tipo de cultura eclesiástica que parece produzir, em vez de homens de carne, estátuas de mármore. Tem gente que não se comove com nada. Isso é resultado da pregação que não enfatiza a compaixão como sinal por excelência do novo nascimento.

Outro motivo dessa apatia é a falta de exemplo por parte da liderança. Quando foi a última vez que você viu um pregador expressar, do púlpito, misericórdia pelo que sofre violação de direitos humanos?

Uma terceira razão para a alienação política é a ignorância. Direitos humanos e amor político pela vida do próximo não são disciplinas que se ensinam no colégio, tampouco são algo proclamado do púlpito. Também não é ensinado na escola bíblica dominical das igrejas e não faz parte do currículo da maioria dos seminários teológicos. Trata-se, ainda, de um assunto pouco presente nas conversas dentro de casa, entre pais e filhos. As pessoas pouco sabem do que se trata. Não entendem o funcionamento do Estado e desconhecem o papel das instituições; por isso, sentem-se perdidas quanto ao que fazer. Não sabem em que porta bater, nem mesmo têm ideia sobre se isso surtirá algum efeito. Que desperdício é uma pessoa desconhecer seus direitos, os motivos pelos quais paga impostos e a razão de ela nascer num mundo de leis e sanções penais. Sabe que se roubar será presa, mas não sabe que o Estado a rouba quando não cumpre sua função constitucional. Políticos profissionais amam essa alienação.

O quinto fator que está por trás da falta dessa visão para fora é o interesse de líderes de igrejas e denominações religiosas em manter apenas o funcionamento da máquina eclesiástica. Grande parte dos tais não vê outra meta na vida que não seja criar um grande império para si e seus herdeiros. Por isso, põe os cristãos para dedicar quase a totalidade de seu tempo para fazer a roda da Igreja girar. Pode ser fascinante servir à igreja, e é belo ver seus membros engajados na edificação do Corpo de Cristo. Mas é bíblico dizer que não há serviço a Deus fora do serviço prestado dentro das quatro paredes do templo?

É um grave erro levar os membros das igrejas a ver o exercício de sua profissão como um fardo e os sacerdotes como os únicos seres no planeta que exercem função santa. Onde encontramos na pregação evangélica a apresentação de uma teologia do trabalho que tenha como pressuposto a verdade iniludível de que o nome de Deus não é glorificado quando entramos no ministério sagrado, mas, sim, quando somos fiéis à nossa vocação? Se Deus o chamou para ser enfermeiro, magistrado, mecânico, pedreiro, pintor, médico ou professor, você o glorificará não pregando no púlpito, mas abraçando sua vocação e a exercendo com excelência. Imagine como seria a vida neste mundo sem esses profissionais. Como declara Tim Keller:

> O fato de Deus ter inserido o trabalho no paraíso nos causa surpresa porque pensamos nele como um mal necessário ou até mesmo castigo. Mas o trabalho não é inserido na história humana depois da queda de Adão, como parte da ruína e perdição; é parte da bênção do jardim de Deus. O trabalho é uma necessidade humana básica tanto quanto o alimento, a beleza, o descanso, a amizade, a oração e a sexualidade; não é simplesmente uma boa solução para remediar uma situação, mas alimento para a nossa alma. Sem um trabalho significativo, sentimos um grande vazio e perda interior.[1]

Assim, o líder impõe certa agenda à igreja que reduz o tempo dedicado à família, à leitura, ao silêncio, à meditação e à participação na esfera pública. O preconceito quanto aos assuntos de natureza política mantém milhões de cristãos completamente alheios aos desmandos que ocorrem no mundo político. Afirmam que "somos povo santo, que não pode se sujar com o que é imundo". A política, segundo esse pensamento, dividiria e faria que a Igreja se preocupasse mais com este mundo do que com o reino dos céus.

O que muitos se esquecem é que, como alguém já disse, quem não gosta de política é governado por quem gosta.

Elevar à condição de princípio o deixarmos de nos envolver com política por causa da imundície presente nessa esfera de atividade social é, por implicação lógica, ser forçado a abrir mão da maioria das relações que mantemos em sociedade. A começar pela própria igreja, cuja política interna pode ser mais suja e dominada pela hipocrisia do que aquela que se vê na esfera pública. Há tentações que são peculiares aos palácios, e há as tentações do templo. A diferença é que essas sempre envolvem o nome de Deus e a malandragem surpreendente daquele que usa o disfarce da falsa santidade para matar e destruir. Deus nos livre das garras dos tiranos que têm a religião como fundamento e cobertura para seus crimes. Só a morte os detém. Eles não se veem como canalhas; se veem como Davi na batalha, matando seus inimigos. Só que, de modo diferente do grande rei de Israel, destroem vidas humanas em nome de um falso deus.

Como alguém consegue afirmar que a Igreja necessariamente sempre se esquece do céu quando pensa nos assuntos da terra? Quanto mais pensamos no céu, dá-se justamente o oposto: mais pensamos em como trazer um pouco de sua realidade para o confuso mundo em que habitamos; e, quanto mais lidamos com este mundo, mais anelamos pelo céu, ainda que sem negligenciar o planeta que o Criador amorosamente preparou para nele habitarmos e dele cuidarmos como se cuida de um jardim. Como não ouvir as demandas políticas do amor nas ocasiões em que sabemos que, sem ação política, o sofrimento daquele que a graça divina pôs em nosso caminho não chegará ao fim? O que é melhor: tratar bem o escravo ou lutar por sua liberdade?

Não são as nossas diferenças políticas que nos dividem, mas o modo como lidamos com essas diferenças. Pode-se também afirmar que há uma agenda amplíssima de luta

DESDOBRAMENTOS DO AMOR POLÍTICO | **211**

por direitos civis, sociais e humanos que transcende nossas preferências ideológicas, ainda mais ao falarmos sobre diferenças entre pessoas que professam fé no mesmo Cristo. Luta política, se exercida em nome do reino, sem servidão a ideologias humanas e sem partidarismos, pode unir a Igreja, fazê-la cair de joelhos e partir para a ação que liberta o homem e traz beleza à vida.

Às vezes fico imaginando como seria nossa relação com o tema da influência político-cultural da Igreja no mundo se todos fôssemos pós-milenistas. O que caracteriza essa corrente de pensamento escatológico é a crença de que o reino de Deus será gradualmente expandido na terra e exercerá uma transformadora influência sociocultural na história. Isso seria realizado não sem o poder real de Cristo como Rei, mas sem a sua presença física na terra. Como diz o teólogo americano R. C. Sproul: "O pós-milenismo é a mais otimista [visão escatológica] no que concerne ao impacto do evangelho na história e na cultura".[2] Essa crença foi professada por homens como Atanásio, Agostinho, João Calvino, Jonathan Edwards, Eusébio, A. A. Hodge, Charles Hodge, J. Gresham Machen, John Owen e B. B. Warfield. Embora haja variações — com alguns teólogos mais propensos a acreditar apenas no avanço do evangelho como façanha do milênio cristão enquanto outros não separam esse sucesso da sua influência cultural —, não vemos entre esses homens o pessimismo histórico-escatológico presente entre os evangélicos dos dias de hoje.

Essa falta de esperança tem amarrado o braço de milhões de cristãos no mundo inteiro, que não creem que a Igreja possa cumprir sua vocação de "sal da terra e luz do mundo" na forma de criação de leis justas, combate à desigualdade social, promoção da arte, tecnologia e ciência, entre outras obras de transformação histórica que poderíamos mencionar. Muitos se esquecem de que, graças a homens e mulheres que sonharam o sonho da justiça, da paz, do direito, da liberdade, da democracia e da república, hoje vivemos num mundo muito melhor que o vivido pelas gerações passadas, sob vários aspectos. E pensar que, até pouco tempo atrás, mulheres não podiam votar, milhões eram mantidos sujeitos à exploração sob o regime da escravidão e governos despóticos exerciam com mão de ferro controle sobre a vida de número incontável de pessoas no Ocidente. Poderia somar a tudo isso o fato de a fome ter deixado de ser uma ameaça para o todo da raça humana, e o avanço da medicina ter livrado a humanidade de inúmeras doenças e tormentos físicos. É difícil imaginar que um dia vivi em casa sem computador e que seria morto se fizesse as manifestações do Rio de Paz no período do regime militar brasileiro.

Minha intenção é condenar o pessimismo e declarar que, graças ao trabalho de cristãos e não cristãos sonhadores, herdamos conquistas em todos os campos da vida, pelas quais deveríamos ser gratos tanto a Deus quanto aos instrumentos que ele usou. Sei que é possível, para cada fato mencionado por mim que aponta para um mundo melhor, mencionar sua contraparte, que aponta para um mundo pior. O que não se pode negar, contudo, é que, se o pessimismo infundado fosse professado por todos, teríamos hoje muito mais a lamentar.

A dimensão política do amor

Meu amor pela política é algo recente. Se você me perguntasse o motivo de ele ter levado tanto tempo para nascer, eu responderia, sem medo de errar, que a razão foi minha paixão maior: a causa do evangelho, que sempre me absorveu por completo. Não que haja incompatibilidade entre ambos, como tenho tentado demonstrar. O problema é autobiográfico. Meus primeiros anos de conversão foram marcados por muita agitação intelectual, fruto de meu desassossego de alma causado pelo terror inexprimível de cogitar a inexistência de Deus num vácuo hostil. Eu não teria forças para lutar se não tivesse esperança em Cristo. No início de minha trajetória como cristão, eu me desesperava por Jesus. Eu o ansiei com todo o meu ser. Sabia, como até hoje sei, que é ele ou uma escuridão insuportável.

Sempre vi as conquistas políticas como incompletas quando separadas das conquistas espirituais. Construir cidades prósperas para quê? Para homens e mulheres passarem a ter tempo de pensar em seu desespero, por não poderem viver em cidades nas quais a doença, a velhice e a morte não entram? Não há paixão política que refreie esse anseio de lutar pela Igreja, pelo evangelho e pela conversão do homem. O que me levou a me interessar por política? Três causas estão acima de todas: a busca por coerência, a minha experiência de campo e o contato com os clássicos da literatura política.

Não dá para separar o amor que o evangelho nos chama a encarnar do desejo de ver homens e mulheres encontrando boa política para viverem em harmonia. John Stott afirma em um de seus livros que "a atuação política (que bem poderia se definida como o amor em busca de justiça para os oprimidos) é uma extrapolação legítima da ênfase bíblica sobre as prioridades práticas do amor".[3] O que ele quer dizer com isso? A Bíblia manda amarmos o próximo, o que significa, entre outras coisas, fazer o que estiver ao nosso alcance para socorrê-lo nas suas necessidades — especialmente quando ele não tem subsídios para socorrer a si mesmo. Esse amor é chamado nas Escrituras de *misericórdia*.

No Estado moderno, neste modelo de sociedade dentro do qual vivemos, certas necessidades humanas só podem ser saciadas quando o poder público age. O que fazer quando somos postos em contato com pessoas cuja carência só pode ser suprida mediante a ação de um governo que se recusa a agir? Ali está alguém cuja dor demanda uma resposta do cristão. Esse, porém, percebe-se de mãos atadas em razão de a desgraça daquele que a providência pôs em seu caminho para ser socorrido depender de políticas públicas para ser mitigada. Infelizmente, porém, essas ações não são implementadas pela autoridade pública. Nessas horas, o amor evangélico, revelado por Cristo nas Escrituras, pede, por inferência lógica insofismável, que o único caminho para a solução do problema seja naturalmente tomado. Sendo esse caminho a pressão política, a extrapolação do amor se tornará legítima.

Tudo que estou dizendo tornou-se claro para mim pelo trabalho de campo. Tenho deparado todos os dias com seres humanos que sofrem por causa da incompetência, da falta de compaixão e do descaso do poder público. Duas experiências que vivi me marcaram profundamente.

Primeiro cenário: eu estava em uma prisão distribuindo camisas brancas, sandálias havaianas, remédios e pasta de dente, quando me dei conta de que a temperatura das celas chegava a quase 57 graus celsius, os cárceres estavam superlotados, pessoas inocentes encontravam-se presas, indivíduos que cometeram crimes insignificantes estavam enjaulados e não havia a mínima perspectiva de reintegração social dos detentos. É frequente encontrarmos quem não goste que falemos de misericórdia pela vida do preso. Isso nada mais é que a falta de uma visão honesta de si mesmo, porque, se olhasse para a própria vida, perceberia que o princípio que sustenta sua existência é o favor imerecido de um Deus que sente repulsa pelo que ele faz. Segundo cenário: eu estava em uma favela onde pessoas vivem abaixo do nível da pobreza, aonde tinha ido para levar cestas básicas aos moradores. Quando estava lá, tomei conhecimento de que policiais estavam praticando abuso de poder na localidade. Ao lado dos barracos, percebi um rio para onde escorria esgoto, um Amazonas de fezes, em cujas margens ratazanas se alimentavam do lixo. Havia casos registrados, naquela comunidade, de crianças que morriam de leptospirose.

Quem pode dar conta desses dois cenários profundamente problemáticos? Não estou perguntando quem tem a responsabilidade de resolvê-los. Pode acontecer de que assumamos a responsabilidade, em nome do amor, pela inoperância dos outros. A questão é outra. Qual é a única solução para esses problemas? A Igreja precisa aprender a vivenciar essa "extrapolação do amor", um amor que a levará à imperiosa decisão de se envolver com algo que ela julga tão sujo: a dimensão política da vida.

O Rio de Paz, portanto, levou-me a pela primeira vez me interessar por teologia política. Queria ser um bom representante da causa do direito e da justiça e percebia, no início do movimento, que havia nesse campo de conhecimento graves lacunas intelectuais em minha vida. Por isso, eu precisaria partir em busca de informação. Queria entender melhor os fundamentos da organização política da sociedade e, por estar lidando com segurança pública, interessava-me em especial o tema do controle social e o monopólio do uso da força por parte do Estado. Comecei a ler os clássicos e parte do que de melhor existe sobre pensamento político. Tudo me encantou profundamente.

Em Platão, por exemplo, somos chamados a nos lembrar de que a vida fora da cidade é impensável:

216 | CONVULSÃO PROTESTANTE

Uma cidade nasce, parece-me, porque cada um de nós não é autossuficiente, mas carente de muitas coisas. [...] Se um homem chama um outro para ajudá-lo em uma necessidade e um outro em uma outra e, já que precisam de muitas coisas, reúnem muitos em um único local de morada, tendo-os como companheiros e auxiliares, a essa vida em comum damos o nome de cidade.[4]

É interessante que encontramos um paralelo de pensamento no Novo Testamento, quando Paulo se dirige à igreja de Éfeso nestes termos: "Paulo, apóstolo de Cristo Jesus pela vontade de Deus, aos santos e fiéis a em Cristo Jesus que estão em Éfeso" (Ef 1.1). Percebemos, por essas palavras, que era possível ser santo e fiel em Éfeso! E não apenas isso: ele não incentiva de modo algum aqueles bons cristãos a se retirarem de Éfeso, porque a Igreja é tão necessária para Éfeso quanto Éfeso é necessária para a Igreja. Nascemos para viver na cidade, na *polis*. Não há como não nos preocuparmos com a "Éfeso" na qual vivemos e da qual dependemos para sobreviver — e isso pelo simples fato de ela viabilizar a harmonia humana, por cujo intermédio mantemos relações de amor uns com os outros e, por meio da mútua troca de talentos, servimos uns aos outros. Por isso, encontramos em Aristóteles a que talvez seja a sua mais famosa declaração, e que marcou o pensamento político para sempre:

É, portanto, evidente [...] que o homem é naturalmente feito para a sociedade política. Aquele que, por sua natureza e não por obra do acaso, existisse sem nenhuma pátria seria um indivíduo detestável. [...] O homem é um animal cívico, mais social que as abelhas e os outros animais que vivem juntos. [...] Aquele que não precisa dos outros homens, ou não pode resolver-se a ficar com eles, ou é um deus, ou um bruto.[5]

Uma das metas do pensamento político é administrar essa vida em sociedade de modo que o homem seja protegido do homem e o homem sirva ao homem, como ressalta o filósofo inglês John Locke:

> Deus certamente designou o governo para conter a parcialidade e a violência dos homens. Admito sem hesitar que o governo civil é o remédio adequado para as inconveniências dos estados de natureza, que certamente devem ser grandes quando aos homens facultados serem juízes em suas próprias causas.[6]

Como a Igreja pode até mesmo se orgulhar de manter-se alheia à formação do governo civil, sendo ele detentor de tamanho poder, cujo exercício da autoridade, embora essencial para a vida em sociedade, tem sido tão frequentemente usado para cumprir propósito oposto ao daquele a que foi designado? A política, contudo, é mais que isso. Veja a beleza da citação feita por Locke, extraída de um autor a quem ele tanto admirava e recomendava, o influente pastor e teólogo inglês Richard Hooker:

> Dado que não somos capazes de nos prover por nós de uma quantidade conveniente das coisas necessárias para viver a vida que nossa natureza deseja, uma vida adequada à dignidade do homem, somos naturalmente induzidos, a fim de suprir esses defeitos e imperfeições que portamos quando vivemos isolados e somente por nossos próprios meios, a buscar a comunhão e a associação com outros. Foi por essa razão que os homens começaram a unir-se em sociedades políticas.[7]

Encontramos o mesmo encanto pelos assuntos políticos nas obras de grandes teólogos do passado e do presente.

218 | CONVULSÃO PROTESTANTE

Veja até que ponto Calvino exalta o exercício da função pública: "Pelo que, já a ninguém deve ser dubitável que a potestade civil seja vocação não somente santa e legítima diante de Deus, mas até a mais sagrada e, longe, a mais honrosa de todas em toda a vida dos mortais".[8] Esse seu apreço pelo mundo da política, que nunca o fez abandonar a pregação, o levou a dedicar-se intensamente à organização da legislação de Genebra. Observe o reconhecimento de Jean-Jacques Rousseau a Calvino no livro *Do contrato social*, sua obra-prima:

> Os que não consideram Calvino senão um teólogo conhecem mal a extensão do seu gênio. A redação de nossos sábios editos, na qual ele teve muita parte, honra-o tanto quanto sua instituição. Seja qual for a revolução que o tempo possa trazer ao nosso culto, enquanto o amor à pátria e à liberdade não for extinto entre nós, jamais a memória deste grande homem cessará de ser uma bênção.[9]

John Stott sempre enfatizou, como poucos, o lado político da missão da Igreja no mundo:

> Também estamos convencidos de que a presente situação de injustiça social é tão repulsiva a Deus, que uma mudança bem ampla é necessária. Não que creiamos em utopias terrestres. Mas tampouco somos pessimistas. A mudança pode vir, embora não simplesmente através do compromisso com um estilo de vida simples ou através de projetos de desenvolvimento humano.
>
> Pobreza e riqueza excessiva, militarismo e indústria armamentista, e a distribuição injusta de capital, de terra, e de recursos constituem problemas que têm a ver diretamente com poder e impotência. Sem uma mudança de poder através de mudanças estruturais, esses problemas não poderão ser resolvidos.

DESDOBRAMENTOS DO AMOR POLÍTICO | **219**

A igreja, juntamente com o resto da sociedade, está inevitavelmente envolvida na política, que é "a arte de viver em comunidade". Os servos de Cristo precisam expressar o senhorio dele em seus compromissos políticos, econômicos e sociais, em seu amor por seu próximo, participando do processo político. Como, então, podemos contribuir para a mudança?

Em primeiro lugar, oraremos pela paz e pela justiça, como Deus ordena. Em segundo lugar, procuraremos educar o povo cristão nas questões morais e políticas envolvidas, esclarecendo assim sua visão e levantando suas expectativas. Em terceiro lugar, agiremos. Alguns cristãos são chamados a exercer tarefas importantes junto ao governo, no setor econômico ou em assuntos de desenvolvimento. Todos os cristãos devem participar ativamente do esforço pela criação de uma sociedade justa e responsável. Em algumas situações, a obediência a Deus exige resistência a um sistema injusto. Em quarto lugar, precisamos estar preparados para sofrer. Como seguidores de Jesus, o Servo Sofredor, sabemos que o serviço sempre envolve sofrimento.

O compromisso pessoal em termos de mudança de estilo de vida não será eficaz se não houver ação política, visando à mudança dos sistemas injustos. Mas a ação política sem o compromisso pessoal é inadequada e incompleta.[10]

Vale a pena encerrar esse pensamento com as palavras do jurista e filósofo calvinista do século 17 Johannes Althusius:

A política é a arte de reunir os homens para estabelecer vida social comum, cultivá-la e conservá-la. Por isso, é chamada de simbiótica (aqueles que vivem juntos). O tema da política é, portanto, a associação (*consociatio*), na qual os simbióticos, por intermédio de pacto explícito ou tácito, se obrigam entre si à comunicação mútua daquilo que é necessário e útil para o exercício harmônico da vida social. O fim do homem político "simbiótico" é a simbiose santa, justa, proveitosa e feliz, e uma vida para a qual não falta nada de necessário ou útil. Para se viver essa vida, nenhum homem é autossuficiente, ou bastante provido pela natureza.[11]

Concluo afirmando que eu não sairia em defesa do engajamento político por parte dos cristãos se não visse todo dia seres humanos vivendo em condições subumanas, que só podem ser erradicadas mediante a ação política. A indiferença da Igreja a esses assuntos é injustificável.

A meta do desenvolvimento numa sociedade pluralista

O que significa libertar o pobre? Pelo que devemos lutar? Qual deve ser o objetivo da totalidade das políticas públicas que visam a diminuir a desigualdade social? Falamos de desigualdade de quê? A meta é tão somente eliminar a fome? O crescimento do PIB é tudo? É impossível um cristão falar sobre esse tema e não sonhar com a conversão do pobre. Não queremos levar ao pobre aquele tipo de prosperidade que causa náusea à alma, que o torna tão mesquinho quanto o rico, que apenas sofistica seus problemas e que o faz, em vez de morrer em um barraco, terminar seus dias em um apartamento confortável. Ele prosperou, mas não encontrou sentido em sua prosperidade.

Quando pensamos no pobre que queremos levar a Jesus, estamos tratando da missão da Igreja. Ela sempre lutará pela libertação total, pois assim aprendeu com Cristo. Certamente o cristão ficará feliz com a ascensão social do pobre, a despeito de ele se converter ou não. Como é difícil, entretanto, entender a mente do cristão! Luta pelo fim da miséria, protesta contra a violação dos direitos humanos,

DESDOBRAMENTOS DO AMOR POLÍTICO | **221**

pressiona o poder público para que políticas públicas sejam levadas às comunidades pobres... mas sempre apresenta indisfarçável lamento ao ver aquele que prosperou ter perdido a alma. Sim, o cristão sofre igualmente com a África e com a Europa.

Conduzir o pobre à experiência de salvação, no entanto, não é dever do Estado em sociedades democráticas e pluralistas. O cristão tem de viver em um mundo no qual a fé não é de todos. Neste mundo plural, a Igreja tem de aprender a respeitar a diferença de ideias e opiniões. Amaríamos ver templos cristãos em todos os bairros e a autoridade pública promovendo a fé em submissão radical ao senhorio de Cristo, mas não é assim que ocorre; e, felizmente, quando pensamos na melhor das possibilidades no mundo caído em que vivemos, não poderíamos desejar algo muito distante de governos democráticos. E isso porque neles há liberdade de culto, de expressão e de consciência e as minorias não são perseguidas. Isso é uma salvaguarda. A Igreja já foi minoria na época do Império Romano e, em diferentes partes do mundo, está sendo perseguida e esmagada justamente por estar em países nos quais os direitos das minorias não são respeitados.

Muitos teólogos, pregadores e apologistas cristãos ficam tão preocupados em desconstruir o pensamento político dos não cristãos que se esquecem de que há entre nós milhões que não se converterão nunca a Cristo. Isso impõe especialmente à Igreja, nas horas da definição de políticas públicas, a necessidade de buscar uma base em comum para o diálogo, explorando os valores compartilhados por cristãos e não cristãos.

A Igreja tem duas linhas de ação, portanto. A primeira é levar adiante seu trabalho apologético e evangelístico, mostrando a vacuidade do conceito de Estado e dignidade humana ocuparem o lugar de Deus como fundamento da organização política da sociedade. A segunda tem sido pouco compreendida por teólogos e pastores, que é descobrir como proceder quando não somos ouvidos, quando o diálogo cessa e nossa apologética é desprezada pelo interlocutor não cristão.

Os seres humanos não são tão racionais como imaginamos, algo que a psicanálise tem exaustivamente demonstrado. Pessoas costumam agir de modo completamente desconectado dos aspectos mais profundos de suas ideias. Não cristãos podem viver sem perceber o horror das consequências práticas de sua visão de mundo, assim como cristãos também podem viver sem perceber a beleza das consequências práticas de sua teologia. Não cristãos podem se comportar como se Deus existisse, embora o neguem; já cristãos podem se comportar como se Deus não existisse, embora afirmem crer que exista.

O ponto que quero ressaltar é de fundamental importância para a missão da Igreja no mundo. O que fazer após o não cristão tratar com indiferença a nossa pregação? A missão termina? Não, não termina. Pois esse não cristão, que recusou a visão de mundo do cristianismo, vota conosco.

Estou cansado de ser chamado a participar de reuniões políticas nas quais não há o mínimo espaço para se discutir filosofia. A discussão é totalmente pragmática. O assunto é posto na mesa: os detentos do regime aberto devem usar tornozeleira eletrônica? O uso e a produção da maconha devem ser legalizados? Quais são as principais metas das reformas tributária, previdenciária e política? E assim por diante. Quando lembramos que a fé cristã não é compartilhada por todos, chega um ponto em que somos forçados a parar de discutir sobre os fundamentos de nossas concepções políticas para tratarmos de questões urgentes que têm a ver com o que prejudica a vida de milhões de seres humanos, de todos os credos. A missão da Igreja não cessa quando o mundo diz *não* à fé. Os cristãos devem continuar lutando, mesmo enquanto não cessam de fazer seu trabalho apologético, para que a vida neste planeta não seja tão má como poderia ser.

John Stott alerta para dois extremos opostos que deveríamos evitar ao falarmos sobre a relação dos cristãos com a cultura e a política. Um corresponde ao erro de tentarmos impor nossos valores a quem não professa fé em Cristo: "Você não pode forçar pessoas a acreditarem no que elas não acreditam ou a praticar o que elas não querem praticar".[12] Oposto à imposição dos pontos de vista cristãos, encontra-se o *laissez-faire*, que representa a decisão de não propagar ou não recomendar nossa visão e nossos valores. Isso significa, na prática, deixar as outras pessoas entregues a si mesmas, vivendo à luz de seus valores, esperando que mudem sozinhas e nos deixem viver nossa vida. A esse respeito Stott escreveu:

> Os cristãos deveriam certamente ser de espírito tolerante, demonstrando respeito por aqueles que pensam e se comportam de modo diferente. Eles deveriam ser socialmente tolerantes também, no sentido de que deveríamos querer ver minorias políticas e religiosas aceitas na comunidade e protegidas por lei, tal como a minoria cristã em país não cristão espera ser legalmente livre para professar, praticar e propagar o evangelho. Mas como podemos nós cristãos ser intelectualmente tolerantes quanto a opiniões que sabemos ser falsas ou ações que sabemos ser más? Que espécie de indulgência sem princípios é essa?[13]

224 | CONVULSÃO PROTESTANTE

Stott propõe a persuasão como caminho de influência política e cultural:

> Nós deveríamos procurar educar a consciência pública a fim de que conheça e deseje a vontade de Deus. A Igreja deveria procurar ser a consciência da nação. Se nós não podemos impor a vontade de Deus pela legislação, não podemos também convencer as pessoas sobre essa mesma vontade meramente por meio de citação bíblica. Porque ambas as abordagens são exemplos da "autoridade de cima", da qual as pessoas se ressentem e resistem. Mais efetiva é a "autoridade de baixo", a verdade e o valor intrínsecos de algo que é autoevidente e portanto autoautenticador.[14]

Os governos democráticos em sociedades pluralistas deveriam lutar pelo quê? Qual ajuda efetiva o Estado poderia oferecer ao pobre? Ele não vai distribuir bíblias ou construir igrejas, mas, a despeito disso, o que de melhor poderia fazer? O que significa vencer a desigualdade social?

Poucos escritores apresentaram algo mais próximo do sonho cristão para um mundo não cristão (no qual cristãos e não cristãos lutam para viver dignamente) do que o economista indiano Amartya Sen, que, em 1998, ganhou o Prêmio Nobel de Economia. Em seu livro *Desenvolvimento como liberdade*, Sen apresenta um conceito de desenvolvimento que tem como meta superar o mundo da privação, da destituição e da opressão que assolam bilhões de vidas. Ele destaca a persistência da pobreza e de necessidades essenciais não satisfeitas; fome coletiva e fome crônica muito disseminadas; violação de liberdades políticas elementares e de liberdades formais básicas; ampla negligência diante dos interesses e da condição de agente das mulheres; e ameaças cada vez mais graves ao meio ambiente e à sustentabilidade de nossa vida econômica e social.

Sen afirma que, para que mudanças ocorram, é necessário que os indivíduos sejam agentes dessas transformações que lidam com os mais diferentes tipos de privação. Para ele, a condição de agente de cada um é inseparavelmente restrita e limitada pelas oportunidades sociais, políticas e econômicas de que dispomos. Qual deveria ser o principal fim do desenvolvimento? Veja que resposta excepcional: "A expansão da liberdade é vista, por essa abordagem, como o principal fim e o principal meio do desenvolvimento. O desenvolvimento consiste na eliminação de privações de liberdade que limitam as escolhas e as oportunidades das pessoas de exercer ponderadamente sua condição de agente".[15]

Liberdade, por essa visão, tem o significado pleno de liberdade de ação, tanto em vista das condições político-sociais quanto por causa da capacidade de o indivíduo poder agir como cidadão consciente. Ele é livre para participar; mas, por desfrutar de saúde, ter recebido boa educação e viver num ambiente seguro, tem a possibilidade de exercer sua cidadania mediante efetiva participação política e social. Sen faz pesadas críticas à identificação do desenvolvimento com o crescimento do Produto Nacional Bruto (PNB), o aumento de rendas pessoais, o nível de industrialização e de avanços tecnológicos e a modernização social.

O crescimento do PNB ou das rendas individuais obviamente pode ser muito importante como um meio de expandir as liberdades desfrutadas pelos membros da sociedade. Mas as liberdades dependem também de outros determinantes, como as disposições sociais e econômicas (por exemplo, os serviços de educação e saúde) e os direitos civis (por exemplo, a liberdade de participar de discussões e averiguações públicas).[16]

Em um trecho que deveria servir de vetor para o compromisso da Igreja com a justiça social, Sen afirma:

O desenvolvimento requer que se removam as principais fontes de privação de liberdade: pobreza e tirania, carência de oportunidades econômicas e destituição social sistemática, negligência dos serviços públicos e intolerância ou interferência excessiva de Estados repressivos. A despeito de aumentos sem precedentes na opulência global, o mundo atual nega liberdades elementares a um grande número de pessoas — talvez até mesmo a maioria. Às vezes a ausência de liberdades substantivas relaciona-se diretamente com a pobreza econômica, que rouba das pessoas a liberdade de saciar a fome, de obter uma nutrição satisfatória ou remédios para doenças tratáveis, a oportunidade de vestir-se ou morar de modo apropriado, de ter acesso a água tratada ou saneamento básico. Em outros casos, a privação de liberdade vincula-se estreitamente à carência de serviços públicos e assistência social, como por exemplo a ausência de programas epidemiológicos, de um sistema bem planejado de assistência médica e educação ou de instituições eficazes para a manutenção da paz e da ordem locais.[17]

Se seguirmos o ideal de desenvolvimento de Amartya Sen, lutaremos por políticas públicas que têm o aumento de renda como meio, e não como fim. O objetivo é aquela liberdade que permite ao homem alcançar sua verdadeira humanidade, com a ampliação e a potencialização de suas capacidades inatas, a fim de que se torne um cidadão ativo na construção de um mundo justo e próspero.

Pobreza é mais que renda baixa. Ela significa o homem ser privado de expressar a beleza da imagem e semelhança de Deus por ter seu talento, sua habilidade e sua inteligência atrofiados pela falta de acesso aos bens desta vida. É pobre quem, apesar de ter o que comer e com que se vestir, vive em bairros imundos, não tem acesso a educação de qualidade, teme andar na rua por medo da violência, está exposto a doenças crônicas e à morte por conta da quase inexistência de um bom sistema hospitalar. Podemos nos dar por satisfeitos pelo fato de as pessoas terem celular, televisão e geladeira enquanto a comunidade em que moram está imersa no atraso e na miséria? Qual o sentido de ter uma renda melhor se a vida continua exposta ao crime e não há escola para que os filhos estudem e os hospitais estão caindo aos pedaços e sem condições de prestar o socorro necessário na hora de necessidade? Amartya Sen explica:

> As liberdades substantivas incluem capacidades elementares como, por exemplo, ter condições de evitar privações como a fome, a subnutrição, a morbidez evitável e a morte prematura, bem como as liberdades associadas a saber ler e fazer cálculos aritméticos, ter participação política e liberdade de expressão etc.[18]

A Igreja não pode estar aquém desse sonho. Devemos lutar por um mundo que seja o mais adequado possível para a existência desses seres maravilhosos, que o cristianismo declara terem sido feitos à imagem e semelhança de Deus. Um dia o Criador os pôs num jardim, que foi transformado por nós em algo que não revela mais a mesma beleza e carece do antigo aconchego, mas que pode ser parcialmente recriado pelo Deus que costuma usar os braços de sua Igreja para levar justiça onde reina a opressão,

O valor da democracia

O Rio de Paz realizou em 2009 um protesto em frente à Assembleia Legislativa do Estado do Rio de Janeiro. Espalhamos pelas escadarias do prédio dezessete mil pedras brancas, que simbolizavam o número de pessoas que tiveram a vida interrompida pelo crime entre os anos 2007 e 2009. Um dos voluntários que participavam da manifestação virou-se para mim e disse:

— É interessante me ver hoje do outro lado.

— Como assim? — Perguntei.

— No período do regime militar eu trabalhava na aeronáutica, e a ordem era descer fogo nos manifestantes, que se reuniam no exato lugar onde estamos realizando nossa manifestação. Lembro-me de militantes políticos serem postos dentro de aviões, que decolavam da base aérea da aeronáutica, com a missão de lançá-los vivos no oceano Atlântico. Meus amigos voltavam dessas missões dando gargalhadas e falando do desespero da vítima, que implorava pela própria vida.

Se amamos a justiça, se alto é o nosso conceito sobre a dignidade da vida humana, se nos preocupamos com o pobre, se desconfiamos de homens dotados de poder inquestionável, haveremos sempre de lutar pela democracia. Há quem anseie pela volta do regime militar ao Brasil. Para esses, o cristão, munido do conceito bíblico sobre a natureza humana, pergunta: qual é a garantia que você pode ter de que a farda torna um homem melhor e nos dá o direito de depositar em suas mãos o destino de milhões de vidas humanas? O cristianismo é um semeador de desconfiança política. Estimula-nos a jamais deixar de levar em consideração os efeitos da Queda. Por isso, chama os discípulos de Cristo a condenar e ver com horror os regimes ditatoriais. Num dos textos que mais foram usados para abalar os alicerces do absolutismo, John Locke faz a seguinte afirmação:

> Os monarcas absolutos são apenas homens, e, se o governo há de ser remédio aos males que necessariamente se seguem de serem os homens juízes em suas próprias causas, razão pela qual o estado de natureza não pode ser suportado, gostaria de saber que tipo de governo é esse e em que ele é melhor que o estado de natureza, no qual um homem, no comando de uma multidão, tem a liberdade de ser juiz em causa própria e pode fazer a todos os seus súditos o que bem lhe aprouver, sem que qualquer um tenha a mínima liberdade de questionar ou controlar aqueles que executam o seu prazer. Em que todos devem submeter-se a ele no que quer que faça, sejam os seus atos ditados pela razão, pelo erro ou pela paixão? Muito melhor é o estado de natureza, no qual os homens não são obrigados a se submeterem à vontade injusta de outrem e no qual aquele que julga erroneamente em causa própria ou na de qualquer outro terá de responder por isso ao resto da humanidade.[19]

Os homens ainda não encontraram regime político que mais promova a liberdade e sirva de instrumento para a participação política do que a democracia. O que significa essa liberdade? Amartya Sen oferece uma excelente resposta:

> As liberdades políticas, amplamente concebidas (incluindo o que se denominam direitos civis), referem-se às oportunidades que as pessoas têm para determinar quem deve governar

e com base em que princípios, além de incluírem as possibilidades de fiscalizar e criticar as autoridades, de ter liberdade de expressão política e uma imprensa sem censura, de ter a liberdade de escolher entre diferentes partidos etc. Incluem os direitos associados às democracias no sentido mais abrangente (abarcando oportunidades de diálogo político, dissensão e crítica, bem como o direito de voto e seleção participativa de legisladores e executivos).[20]

Você consegue abrir mão desses direitos? Quem é digno de exigir que renunciemos ao que ao mesmo tempo nos protege e oferece dignidade à vida? A democracia favorece como nenhum outro regime a justiça social. Num país em que a imprensa é livre, as pessoas têm direito a voto, protestos de rua podem ser organizados, e os maus-caracteres e os incompetentes que ocupam cargos públicos podem ser presos ou banidos da vida pública, a probabilidade de males sociais serem evitados é bem maior do que em regimes ditatoriais.

O papel da democracia para a promoção do desenvolvimento econômico é central. Em seu livro *Por que as nações fracassam*, o professor de economia do Instituto de Tecnologia de Massachusetts Daron Acemoglu e o professor de administração pública da Universidade Harvard James Robinson demonstram que são as instituições econômicas e políticas que estão por trás do êxito ou do fracasso econômico. Não concordo por completo com a tese dos autores de que tudo se resume a economia e política. No entanto, não há como deixar de levar em consideração o fato, destacado por eles, de que, se nos importamos realmente com o fim da miséria no mundo, temos de atentar para modelos políticos e econômicos que promovem a riqueza e arrancam homens e mulheres da pobreza:

DESDOBRAMENTOS DO AMOR POLÍTICO | **231**

O asseguramento dos serviços públicos, leis, direitos de propriedade e da liberdade de firmar contratos e relações de troca depende do Estado, instituição detentora da capacidade coerciva de impor ordem, impedir roubos e fraudes e fazer valer contratos entre partes privadas. Para ter seu bom funcionamento garantido, a sociedade também requer outros serviços públicos: estradas e uma rede de transportes de bens; infraestrutura pública para que a atividade econômica tenha condições de florescer; algum tipo de regulação básica para a prevenção de fraudes e má conduta, sobretudo por parte das autoridades. Embora muitos serviços públicos possam ser prestados pelos mercados e por cidadãos particulares, o grau de coordenação necessário para seu funcionamento em larga escala, em geral, requer a intervenção de um autoridade central. Assim, o Estado apresenta vínculos inexoráveis com as instituições econômicas, como impositor da lei e da ordem, da propriedade privada e dos contratos, e em geral como prestador fundamental de serviços públicos.[21]

O Estado, portanto, é quem cria as condições para o florescimento do que os autores chamam de "instituições econômicas inclusivas": "Instituições econômicas inclusivas [...] são aquelas que possibilitam e estimulam a participação da grande massa da população em atividades econômicas que façam o melhor uso possível de seus talentos e habilidades e permitam aos indivíduos fazer escolhas que bem entenderem".[22]

Não há dúvida de que, sem democracia, essa economia de mercado é severamente prejudicada; uma democracia que dá liberdade, promove as trocas e nem por isso deixa o todo da sociedade entregue tão somente à lógica do lucro. Precisamos usar a democracia, que nunca opera no automático, para, com base em análises sóbrias, pressionarmos o Estado a fim de melhorar a atividade econômica e socializar os lucros. O economista americano Jeffrey Sachs apresenta perguntas indispensáveis que todos deveriam fazer:

> Qual é o custo de fazer negócio no país (e nas diferentes regiões dentro do país)? Qual é a cobertura de infraestrutura essencial (energia, água, estradas, serviços de transporte) com foco na regiões, tanto urbanas como rurais, bem como médias nacionais? Como os custos são afetados pela falta de infraestrutura? Qual é a estrutura da política de comércio exterior, e como as barreiras comerciais influenciam os custos da produção, em especial os negócios voltados à exportação? Quais são os incentivos em funcionamento para potenciais investidores internos e externos, e como o sistema de incentivos se compara com os incentivos em funcionamento nos países concorrentes? O governo está investindo adequadamente em capital humano, por meio de programas de nutrição, saúde pública, controle de doenças, educação e planejamento familiar?[23]

Não estou dizendo que todos estamos em condição de fazer análise acurada da economia do país. Nem que essa seja a tarefa dos pastores cristãos. Precisamos, entretanto, nos informar ao máximo, e nada nos impede de criarmos grupos dentro de nossas igrejas para estudar esses temas.

O ponto que gostaria de ressaltar é: precisamos romper com a ingenuidade que nos leva a crer que podemos separar o socorro ao pobre do modelo econômico vigente no país em que ele vive. Nessas horas, a escolha dos candidatos em que vamos votar e dos partidos políticos que apoiaremos devem estar condicionados ao nível de comprometimento deles com os ideais democráticos, a liberdade econômica e a socialização da riqueza.

Manifestação pública

Para ser útil, a democracia tem de ser aproveitada. Ela cria as condições, como nenhuma outra forma de organização política, para homens e mulheres viverem sob governos justos e eficientes. A democracia não funciona no automático. Ela propicia ao povo erguer a voz contra as injustiças praticadas pelos poderosos opressores sem temer quem detém o poder. Isso não significará, contudo, que o povo o fará.

Votar é central. Podemos manter em seus cargos homens de bem, banir da vida pública malandros e dar acesso a cargos públicos a quem anseia com honestidade e competência servir à nação. Após as eleições, entretanto, temos de exercer o controle social sobre aqueles que serão eleitos, pois o poder corrompe e, por isso, quem o detém precisa ser vigiado. Sempre. Votar e cobrar são duas formas de usarmos bem essa bênção chamada democracia.

O Rio de Paz tornou-se mundialmente conhecido por meio de suas manifestações públicas, que sempre contam com a cobertura de importantes meios de comunicação e agências internacionais de notícia. Sentimos que fotógrafos, cinegrafistas e repórteres amam nossas manifestações, sentindo-se representados por elas, a ponto de interagir conosco, pedir protestos quando casos graves ocorrem e trabalhar duro a fim de que o impacto das imagens seja ampliado e o grito possa repercutir no país e no mundo.

Nos últimos anos, fomos os criadores de campanhas que se tornaram conhecidas por milhões de pessoas, como *Onde está Juan?*; *Onde está Amarildo?*; *Fora Renan*; *Exigimos escolas, hospitais e segurança "Padrão Fifa"*; e *Quem matou Patrícia Acioli?*. Tudo isso poderíamos chamar de uso livre da democracia, numa parceria não preconceituosa

234 | CONVULSÃO PROTESTANTE

com a imprensa, realizando protestos pacíficos, com o uso deliberadamente midiático de imagem para a realização de contestações dramatizadas. Os protestos de rua que temos organizado se baseiam em três convicções:

1. *Cremos que a rua é espaço para o exercício da democracia*. A tribuna do povo. Lugar do grito cidadão. Megafone que desperta o poder público da sua indiferença.

2. *Estamos absolutamente certos de que a manifestação pacífica dá certo*. Amamos o poder da imagem, que aviva a consciência social, mobiliza o povo e golpeia o Estado quando ele erra.

3. *Acreditamos, sem romantismos, que a imprensa pode ser parceira dos movimentos sociais*. A mídia ajuda a amplificar sua voz até que ela chegue aos palácios.

Desde que fundamos o Rio de Paz, pessoas têm cobrado resultados dos protestos que realizamos. Indagam acerca de sua eficácia na promoção do bem-estar do país. Muito poderia ser dito sobre os efeitos de fazermos o que tem sido praticado por homens e mulheres de todo o país cuja democracia alcançou alto grau de desenvolvimento. Menciono dois fatos:

1. *As manifestações têm alto poder de mobilização*. Elas são vistas por milhões de pessoas por meio da imprensa. Passo a passo, levam homens e mulheres a sentir aquela indignação que os faz sair de casa para agir. Foi maravilhoso saber que muita gente foi às ruas em 2013 incentivada pelo Rio de Paz. Em um mundo onde pessoas tentam mudar a história degolando seres humanos, é importante

DESDOBRAMENTOS DO AMOR POLÍTICO | 235

que façamos defesa do protesto que não mata, explode ou sequestra.

2. *As manifestações incomodam o poder público.* Que governante gosta de ver os equívocos do seu governo nas primeiras páginas dos jornais ou no noticiário da televisão?

Vemos frutos concretos das ações que promovemos. Em 2014, por exemplo, o poder da manifestação pública e pacífica foi comprovado com a criação da Delegacia de Descoberta de Paradeiros. Quem atua na área da segurança pública do Rio de Janeiro sabe que ninguém protestou mais contra os casos de desaparecimento do que o Rio de Paz. Nós simplesmente pautamos a imprensa e o poder público. Realizamos inúmeras manifestações. Concedemos centenas de entrevistas. O último ato público que tencionávamos realizar visando à criação de uma delegacia especializada em casos de desaparecimento — que foi divulgado de modo proposital antecipadamente pela coluna do jornalista Ancelmo Gois, no jornal *O Globo* — teria como imagem mães de desaparecidos amarradas em postes na praia de Copacabana. Quatro dias antes do protesto, recebemos o comunicado da Secretaria de Segurança do Estado do Rio de Janeiro informando que tinha conhecimento do que estava para acontecer e nos informando que a delegacia iria nascer.

Milhões de pessoas serão beneficiadas pelo trabalho dessa delegacia, graças à atuação pacífica do Rio de Paz, da ONG Meu Rio e das mães de desaparecidos, representadas pela extraordinária Jovita Belfort, mãe de Priscila Belfort (desaparecida desde 2004).

Muito nos perturbava a condição dos presos das carceragens da Polícia Civil do Rio. Graves violações dos direitos humanos ocorriam em Neves, distrito de São Gonçalo (RJ). Filmamos e fotografamos as condições do local. Também levamos a imprensa, estudantes e pessoas estratégicas da sociedade para dentro da prisão. Um dia, num encontro com a então chefe da Polícia Civil do Rio de Janeiro, delegada Marta Rocha, avisei que estávamos para fazer um protesto na praia de Copacabana, condenando o estado das prisões. Disse-lhe que montaríamos uma réplica da carceragem de Neves e colocaríamos dentro nossos voluntários em número proporcional ao de pessoas presas. Foi visível sua expressão de alívio quando disse que não faríamos mais a manifestação, em razão da promessa que me fizera naquele encontro de, no espaço de um ano e quatro meses, fechar as quatorze carceragens, nas quais se encontravam cerca de quatro mil detentos.

E foi o que aconteceu. Um ano e quatro meses depois eu estava na praia de Copacabana para fazer, por assim dizer, o primeiro "antiprotesto", a primeira manifestação pública de elogio a uma decisão do governo do estado. Em vez de um cárcere, levamos fotos dos presos e estendemos nas areias uma faixa com os seguintes dizeres: Fim das carceragens da Polícia Civil: vitória da razão, do direito e da democracia.

Pelos excelentes resultados obtidos até hoje, apostamos na ação pacífica, racional e justa, como demonstração de amor político.

Conclusão

Vejo uma ruptura de gerações em curso na vida das igrejas brasileiras. Um conceito de santidade começa a ganhar espaço na mente e no coração de milhares de jovens, o que vai alterar o perfil do protestantismo brasileiro. Pela primeira vez na história, três elementos novos farão parte, numa extensão nunca vista, da forma de o cristianismo ser vivenciado pelos cristãos brasileiros:

1. *Compromisso com o pobre*
Começa a se espalhar pelo Brasil o interesse por respostas, à luz da Bíblia, para uma pergunta crucial: o que significa ser cristão num país de miséria? Como alguém que passou pela espantosa obra da regeneração por meio da conversão a Cristo responde à realidade dos barracos infestados de ratos, cujas portas são banhadas por esgoto, dentro dos quais habitam crianças pobres, que têm pais desempregados ou remunerados com salários irrisórios? Milhares começam a questionar modelos eclesiásticos que negligenciam o cuidado daqueles para os quais Cristo dedicou especial atenção.

2. *Defesa dos direitos humanos*
Como pode uma pessoa ter conceito tão elevado sobre o homem a ponto de afirmar que seu ser carrega características

que podem ser encontradas no próprio Deus e, ao mesmo tempo, não se indignar quando aquele que foi criado à imagem do seu Criador é explorado, torturado e grita sob os golpes de seus algozes, sem ter quem o ouça? Jovens cristãos começam a ver como grave incoerência proclamar a dignidade do homem e, ao mesmo tempo, tratar com indiferença a banalização da vida humana, o que muitas vezes é perpetrado pelo próprio Estado.

3. *Amor político*
Milhões de homens e mulheres encontram-se acorrentados a sistemas de opressão, sem a mínima possibilidade de encontrar alívio para sua dor, exceto se decisões no campo político forem tomadas. Salários baixos, jornadas de trabalho desumanas, falta de moradia, carência de saneamento básico, insegurança nas ruas, hospitais mal equipados, escolas sem estrutura mínima são poucos dentre os muitos exemplos que grassam em nosso país. Não há igreja local que dê conta desses males por meio da ação filantrópica. Há uma grande diferença entre dar pão e libertar o povo da escravidão. Cristãos brasileiros começam a perceber que a sempre indispensável generosidade pontual não dá conta do sertão nordestino, das favelas cariocas, dos bairros de periferia de São Paulo, das comunidades ribeirinhas do Amazonas. Há uma dimensão política no amor.

Talvez você esteja se perguntando o que me leva a crer nessa transformação. Sei que essa profecia é a profecia do desejo. Gostaria de ver esse cristianismo emergir antes de eu morrer. Minhas andanças pelo país, contudo, me levam a crer que algo já se encontra em curso. Ouço gemidos, vejo lágrimas, contemplo joelhos dobrados em cultos nos quais a mensagem do amor simétrico e integral é anunciada.

Se os jovens conseguirem incorporar os três elementos ao seu conceito de santidade, sem se deixar levar exclusivamente por ideologias políticas de esquerda ou de direita, mantendo a fidelidade às Escrituras, levando o evangelho aos que não conhecem Cristo, exercitando o amor na igreja local e orando no poder do Espírito Santo, essa geração de cristãos terá transcendido a que a antecedeu.

Tenho recebido convites das mais diferentes igrejas e cidades brasileiras para falar sobre justiça social. Falei sobre o tema num auditório lotado de estudantes de teologia, na Faecad, seminário da Assembleia de Deus, no Rio de Janeiro. Por duas vezes preguei sobre o mesmo assunto na Igreja Batista da Lagoinha, em Belo Horizonte. A Igreja está mudando. Jovens do Brasil inteiro estão consumindo esse tipo de pregação. O processo me parece irreversível. Por quê? Porque as Escrituras falam dez vezes mais sobre justiça social do que sobre sexo. Os argumentos dos que pregam a favor do compromisso dos cristãos com os oprimidos são irrefutáveis e facilmente encontrados na Bíblia. Soma-se a isso o fato de vivermos num país de muita pobreza, com a qual os cristãos deparam todos os dias.

O que espero que mude nos próximos anos? Espero que a Igreja não ponha a causa do pobre à frente da evangelização. Só nós evangelizamos. Ninguém mais. Se a Igreja deixar de cumprir sua missão evangelística, quem o fará em seu lugar? A maior necessidade do homem é a reconciliação com Deus. Deixar de proclamar o evangelho em vista do foco exclusivo na justiça social vai representar no futuro uma Igreja sem povo e uma sociedade de estômago cheio e coração vazio.

240 | CONVULSÃO PROTESTANTE

O que deve mudar não é o compromisso com a pregação do evangelho. Vamos continuar a investir em missões, a abrir grupos pequenos e a plantar igrejas. O que tem de ser modificado é o conteúdo do discipulado, com maior ênfase nos desdobramentos práticos de abraçar Cristo como Senhor e Salvador pessoal. Lembremo-nos de que o chamado aos cristãos é duplo: "Portanto, vão e façam discípulos de todas as nações, [...] ensinando-os a obedecer a tudo o que eu lhes ordenei" (Mt 28.19-20). Diante disso, como o discipulado deveria funcionar? Por meio de um diálogo franco, que vá direto ao ponto. Algo mais ou menos assim:

"Você agora é discípulo de Cristo, que o chama para imitá-lo. Viver a vida que ele viveu significa, acima de tudo, amar. Sua missão no mundo, a partir de agora, é amar. Amar é viabilizar a vida do próximo, libertando-o do que o impede de servir, na plenitude do seu ser, a Deus e ao próximo. Isso significará para você pregar, porque não há liberdade sem Cristo. Mas, também, socorrer o pobre, porque a fome, a doença e a desinformação trazem dor e impedem o ser humano de usar seus dons e talentos na proporção que poderia. Amar é, ainda, agir politicamente, porque más políticas públicas matam, enquanto boas políticas públicas salvam. Vão cruzar o seu caminho vidas preciosas, cuja libertação depende de ação política.

"Enfim, você nasceu de novo, pela graça divina. O evangelho ensina que todo que passou por essa experiência transformadora sofre e chora quando vê o seu semelhante em agonia. Portanto, prepare-se, porque andar com Jesus a gente sabe como começa, mas nunca como termina. O amor que ele semeou em seu coração poderá levá-lo a cruzar oceanos para anunciar o evangelho e ir às ruas protestar. O preço é sempre alto. Mas eu perguntaria: haveria vida fora dessa forma de servir e amar a Deus? Então, junte-se a Paulo e declare: 'Todavia, não me importo, nem considero a minha vida de valor algum para mim mesmo, se tão-somente puder terminar a corrida e completar o ministério que o Senhor Jesus me confiou, de testemunhar do evangelho da graça de Deus' (At 20.24)".

Notas

Introdução

[1] As imagens que gravei no enterro podem ser vistas no canal do Youtube do Rio de Paz. Disponível em: <https://www.youtube.com/user/riodepaznews/videos>. Acesso em 26 de janeiro de 2015.

[2] Ver, p. ex., "ONG faz protesto em favela e pede o fim da violência", *G1*, 2 de novembro de 2009. Disponível em: <http://g1.globo.com/Noticias/Rio/0,,MUL1363525-5606,00-ONG+FAZ+PROTESTO+EM+FAVELA+E+PEDE+O+FIM+DA+VIOLENCIA.html>. Acesso em 10 de mar. de 2013.

[3] P. 148.

Capítulo 1

[1] Uma visão de mundo é um conjunto de pressuposições (assunções que podem ser verdadeiras, parcialmente verdadeiras ou inteiramente falsas), as quais mantemos (consciente ou inconscientemente, consistente ou inconsistentemente) sobre a constituição básica do nosso mundo [...]. 1) Qual é a realidade primária, o que é realmente real? 2) Qual a natureza da realidade externa, ou seja, do mundo ao nosso redor? 3) O que é o ser humano? 4) O que acontece quando alguém morre? 5) Por que é possível conhecer algo? 6) Como sabemos o que é certo e o que é errado? 7) Qual o sentido da história humana?" (James Sire, *The Universe Next Door*, p. 17-18.)

[2] *Peso de glória*, p. 23.

[3] *O poder*, p. 142.

[4] Douglas J. Moo, *Tiago*, p. 87.

[5] *John Stott comenta o Pacto de Lausanne*, p. 29.

[6] Disponível em: <http://oglobo.globo.com/rio/ancelmo/posts/2012/06/19/trafico-proibe-venda-de-crack-em-favelas-do-rio-451154.asp>. Acesso em 27 de fev. de 2015.

244 | CONVULSÃO PROTESTANTE

Capítulo 2

[1] *Romanos*, p. 47.
[2] *Legalidade libertária*, p. 424-425.
[3] *Geneva Series of Commentaries: James*, p. 187.
[4] Fritz RIENECKER e Cleon ROGERS, *Chave linguística do Novo Testamento grego*, p. 540.
[5] *Perspectivas sociológicas*, p. 128.
[6] *Sermões*, p. 169.

Capítulo 3

[1] *Riqueza e a pobreza das nações*, p. 194.
[2] *Do contrato social*, p. 31.
[3] *Calvino, Genebra e a Reforma*, p. 84.
[4] *Generous Justice*, p. 33-34.

Capítulo 4

[1] *As Institutas*, vol. 1, p. 239.
[2] Idem.
[3] *Charity and Its Fruits*, p. 336.
[4] A Confissão de Westminster, aprovada pelo parlamento inglês em 1643, é uma confissão de fé de orientação calvinista, fruto da Reforma Protestante. Adotada por muitas igrejas presbiterianas e reformadas, exprime aquilo que seus membros creem no que se refere a diferentes aspectos da fé cristã.
[5] *A Confissão de Fé de Westminster*, p. 12.

Capítulo 5

[1] Citado em James HOUSTON, *Mente em chamas*, p. 105-109.
[2] *História da civilização ocidental*, p. 3.
[3] *Ouça o Espírito, ouça o mundo*, p. 46.
[4] *Ortodoxia*, p. 195-196.
[5] *Leviatã*, p. 103.
[6] Ver Chico ALENCAR, *A rua, a nação e o sonho*, p. 113.
[7] *A mosca azul*, p. 150-151.
[8] P. 61-62.
[9] Citado em *O pensamento econômico e social de Calvino*, p. 546-548.
[10] Disponível em: <http://oglobo.globo.com/rio/ancelmo/reporterdecrime/posts/2008/05/24/um-inocente-preso-julgado-condenado-morte-por-pms-104331.asp>. Acesso em: 3 de fev. de 2015.

NOTAS | **245**

[11] Disponível em: <http://oglobo.globo.com/rio/ancelmo/reporterdecrime/posts/2008/05/27/um-canto-de-esperanca-para-resgatar-memoria-de-sabia-104686.asp>. Acesso em 3 de fev. de 2015.

[12] Reproduzo aqui, na íntegra, a carta enviada ao Comando Geral da Polícia Militar:

Rio de Janeiro, 26 de maio de 2008.

Coronel Gilson Pitta Lopes
Comandante Geral da Polícia Militar do Estado do Rio de Janeiro

Senhor Comandante Geral,
O Rio de Paz, entidade sem fins lucrativos que vem buscando contribuir para a redução de homicídios no país, vem à presença de Vossa Senhoria para expor e protestar acerca dos seguintes fatos, que são do seu conhecimento.

No último dia 18 de maio, o jovem William de Souza Marins, de 19 anos, foi vítima de homicídio doloso cometido por policiais do Grupamento Ações Táticas (GAT) do 14º BPM, de Bangu.

O crime ocorreu em uma localidade próxima à casa em que vivia com seus pais e irmão, em uma área de moradias populares conhecida como Favela do 48, em Bangu. Supostamente confundido com um criminoso em fuga, ele foi executado a sangue-frio por agentes do poder público fardados encarregados de fazer cumprir a lei e de proteger a sociedade.

A família do rapaz — revoltada e desesperada — afirma ter à disposição da Justiça testemunhas que relataram ter visto William ser baleado na perna, ficar sentado no chão por minutos, falando aos policiais, e a seguir ser executado sem piedade por esses integrantes do 14º BPM. Essas mesmas testemunhas ouviram os PMs interrogarem violentamente o rapaz que, baleado e caído, durante todo o tempo negou qualquer ligação com o tráfico de drogas. Os policiais não aceitaram suas explicações ou os pedidos de misericórdia.

Em alguns minutos o jovem foi detido, julgado e condenado à morte por um pelotão de fuzilamento da Polícia Militar do Estado do Rio de Janeiro, que a sociedade mantém para protegê-la garantindo o cumprimento da lei. Contrariando todos os princípios constitucionais que regem o país, e o ordenamento internacional referente à dignidade da pessoa humana, aos quais todas as instituições do Estado estão obrigadas.

Os policiais do 14º BPM que praticaram esse homicídio tentaram legitimá-lo através do muito conhecido ardil de incriminar a vítima, colocando em suas mãos armas e drogas que já levam consigo, com esse e com outros propósitos. Estudos e relatos da mídia e de familiares de vítimas têm revelado detalhes da repetição dessa patética fraude ao longo de décadas, levando o Brasil a responder pelo mais alto índice mundial de execuções sumárias por parte de suas Polícias. Quase todas tolerantemente impunes.

Em incursões em comunidades carentes o teatro se repete: todos são culpados e a lei inexiste. Os abusos e crimes são qualificados como autos de resistência. Ninguém acredita, sobretudo policiais e seus chefes superiores, que conhecem bem o que se passa. Estou certo de que o senhor também não acredita nesse tipo de farsa.

Por meio deste documento, quero testemunhar perante este Comando que, diferentemente do que alegaram os policiais militares em questão, como declararam na ocorrência registrada na 34ª DP de Bangu, nº 034-04833/2008, onde sua versão foi pacificamente aceita, William não tem e nunca teve qualquer envolvimento com o crime. Sua idoneidade moral é atestada não apenas pela família, como pela vizinhança, por amigos e pastores evangélicos que conviviam com ele na Igreja Presbiteriana onde congregava. Ele era um jovem honesto, querido, religioso praticante, e que fazia parte de um grupo de música Gospel.

Diante dos inequívocos fatos acima expostos, o movimento Rio de Paz — que em sua luta pela mobilização da sociedade brasileira pela redução de homicídios, tem apoiando o trabalho sério das Polícias — vem solicitar de Vossa Senhoria, como o Comandante Geral da Polícia Militar, os seguintes pontos:

1) Agilidade e transparência na apuração dos fatos;

2) Garantia de preservação da integridade física e moral das testemunhas dos fatos narrados acima, assim como de parentes e amigos da vítima;

3) Proteção contra ameaças e retaliações a moradores, religiosos e comerciantes da Favela do 48, em Bangu;

4) Determinação à Corregedoria da Polícia Militar e à Corregedoria-Geral Unificada de trabalho de investigação isenta e técnica, que resulte em rápida elucidação do homicídio, para que os responsáveis sejam afastados das ruas e entregues à Justiça criminal.

Acreditamos, sinceramente, que as providências acima vão permitir que seja feita justiça; para que seja demonstrado e preservado o comando hierárquico iniciado na Constituição em vigor; para salvaguardar a honra dos profissionais que formam a corporação Polícia Militar do Estado do Rio. Uma instituição com 199 anos de história, criada para proteger toda a sociedade, não pode se render à vergonha imposta por alguns — à força, dentro e fora da corporação.

Coronel Pita, em sua honrosa carreira — tal como na minha — não é a primeira vez, e, desgraçadamente, não será a última vez que vemos fatos revoltantes como esses repetidos e repetidos.

Eu e Vossa Senhoria não conseguiríamos mudar o mundo. Mas temos um trabalho público a realizar, e esse trabalho inclui repudiar o injusto, exigir liberdade de consciência e arbítrio para fazer opções e lutar pela prevalência da lei.

Em razão desses compromissos inerentes às nossas funções, peço que se empenhe corajosamente por uma investigação profissional do bárbaro homicídio praticado por um de seus homens.

Antônio Carlos Costa
Presidente do Rio de Paz

[13] Ver Robert JAMIESON, A. R. FAUSSET, David BROWN, *Comentario exegetico y explicativo de la Biblia*, vol. 2, p. 674.
[14] *O mal ronda a terra*, p. 33-34.
[15] *Quem são os criminosos?*, p. 32-33.
[16] Idem, p. 50-51.
[17] *A revolução protestante*, p. 52-53.
[18] P. 141.
[19] *As grandes obras políticas*, p. 410.

Capítulo 6

[1] Ver Fritz RIENECKER e Cleon ROGERS, *Chave linguística do Novo Testamento grego*, p. 469.
[2] *The Message of 1 Timothy & Titus*, p. 150.
[3] Idem.
[4] Alan NICHOLS, *Viva a simplicidade*, p. 26.
[5] *Comentarios a las epístolas pastorales de San Pablo*, p. 187-188.
[6] Idem, p. 199.
[7] Citado em *O livro da sabedoria e das virtudes redescobertas*, p. 119.
[8] *The Message of 1 Timothy & Titus*, p. 162.

248 | CONVULSÃO PROTESTANTE

[9] Carol DEVINE, Rae Carol HANSEN; Ralph WILDE, *Direitos humanos*, p. 146, 148, 149.

[10] *Constituição da República Federativa do Brasil*, p. 21.

[11] P. 306.

[12] *Etapas do pensamento sociológico*, p. 213-214.

[13] Ver James B. ADAMSON, *The Epistle of James*, p. 182-183.

[14] Ver *Geneva Series of Commentaries: James*, p. 399-401.

[15] *Calvin's Commentary on the Epistle of James*, p. 91.

[16] Idem.

[17] *Geneva Series of Commentaries: James*, p. 408-409.

[18] *Calvino, Genebra e a Reforma*, p. 33.

[19] *Calvin's Commentary on the Epistle of James*, p. 96.

Capítulo 7

[1] *Os puritanos*, p. 119.

[2] Frantine LAPLANTINE, *Aprender antropologia*, p. 149.

[3] Citado em David McCULLOUGH, *John Adams*, p. 236-237.

[4] *Desenvolvimento como liberdade*, p. 117.

[5] Segundo o artigo 26 da resolução Conama número 020/1986:

> As águas doces, salobras e salinas destinadas à balneabilidade (recreação de contato primário) serão enquadradas e terão sua condição avaliada nas categorias EXCELENTE, MUITO BOA, SATISFATÓRIA e IMPRÓPRIA, da seguinte forma:
>
> a) EXCELENTE (3 estrelas): Quando em 80% ou mais de um conjunto de amostras obtidas em cada uma das 5 semanas anteriores, colhidas no mesmo local, houver, no máximo, 250 coliformes fecais por l,00 mililitros ou 1.250 coliformes totais por 100 mililitros;
>
> b) MUITO BOA (2 estrelas): Quando em 80% ou mais de um conjunto de amostras obtidas em cada uma das 5 semanas anteriores, colhidas no mesmo local, houver, no máximo, 500 coliformes fecais por 100 mililitros ou 2.500 coliformes totais por 100 mililitros;
>
> c) SATISFATÓRIA (1 estrela): Quando em 80% ou mais de um conjunto de amostras obtidas em cada uma das 5 semanas anteriores, colhidas no mesmo local, houver, no máximo, 1.000 coliformes fecais por 100 mililitros ou 5.000 coliformes totais por 100 mililitros;
>
> d) IMPRÓPRIA: Quando ocorrer, no trecho considerado, qualquer uma das seguintes circunstâncias:

NOTAS | **249**

1. Não enquadramento em nenhuma das categorias anteriores, por terem ultrapassado os índices bacteriológicos nelas admitidos [...].

Por essa medida, fica claro que 3,5 milhões de coliformes fecais por 100 mililitros de água é um índice acima do absurdo.

Capítulo 8

[1] *Como integrar fé e trabalho*, p. 38-39.
[2] *The Last Days According to Jesus*, p. 202.
[3] *Ouça o Espírito, ouça o mundo*, p. 391.
[4] *A república*, p. 62.
[5] *A política*, p. 4-5.
[6] *Dois tratados sobre o governo*, p. 391.
[7] Idem, p. 236.
[8] *As institutas*, vol. 4., p. 457.
[9] P. 61-62.
[10] *O discípulo radical*, p. 66-67.
[11] *Política*, p. 103.
[12] *Decisive Issues Facing Christians Today*, p. 48.
[13] Idem, p. 48.
[14] Idem, p. 51-52.
[15] *Desenvolvimento como liberdade*, p. 9-10.
[16] Idem, p. 17.
[17] Idem, p. 18.
[18] Idem, p. 52.
[19] *Dois tratados sobre o governo*, p. 392.
[20] *Desenvolvimento como liberdade*, p. 55.
[21] P. 59-60.
[22] Idem, p. 58-59.
[23] *O fim da pobreza*, p. 114, 116.

Referências bibliográficas

A *Confissão de Fé de Westminster*. São Paulo: Cultura Cristã, 1994.

ACEMOGLU, Daron; ROBINSON, James. *Por que as nações fracassam: as origens do poder, da prosperidade e da pobreza*. Rio de Janeiro: Elsevier, 2012.

ADAMSON, James B. *The Epistle of James*. The New International Commentary on the New Testament. Grand Rapids, MI: Eerdmans Publishing Company, 1976.

ALENCAR, Chico. *A rua, a nação e o sonho: uma reflexão para as novas gerações*. Rio de Janeiro: Mar de Ideias, 2013.

ALTHUSIUS, Johannes. *Política*. Rio de Janeiro: Topbooks, 2003.

ARISTÓTELES. *A política*. São Paulo: Martins Fontes, 2006.

ARON, Raymond. *As etapas do pensamento sociológico*. São Paulo: Martins Fontes, 2008.

BERGER, Peter L. *A construção social da realidade: tratado de sociologia do conhecimento*. Petrópolis: Vozes, 1985.

_____. *Perspectivas sociológicas: uma visão humanística*. Petrópolis, RJ: Vozes, 2007.

BETTO, Frei. *A mosca azul: reflexão sobre o poder*. Rio de Janeiro: Rocco, 2006.

BIÉLER, André. *O pensamento econômico e social de Calvino*. São Paulo: Cultura Cristã, 1990.

BURNS, Edward M. *História da civilização ocidental*. São Paulo: Editora Globo, 2001.

252 | CONVULSÃO PROTESTANTE

CALVINO, João. *Comentarios a las epistolas pastorales de San Pablo*. Jenison, MI: TELL, 1972.

_____. *Calvin's Commentary on the Epistle of James*. Aberdeen, UK: J. Chalmers and Co., 1797.

_____. *As institutas ou tratado da religião cristã*. São Paulo: Cultura Cristã, 1985-1989.

CHESTERTON, G. K. *Ortodoxia*. São Paulo: Mundo Cristão, 2008.

CHEVALIER, Jean-Jacques. *As grandes obras políticas: de Maquiavel a nossos dias*. Rio de Janeiro: Agir, 1998.

Constituição da República Federativa do Brasil. Brasília: Senado Federal, Subsecretaria de Edições Técnicas, 2004.

DEVINE, Carol; HANSEN, Rae Carol; WILDE, Ralph. *Direitos humanos: referências essenciais*. São Paulo: Editora da Universidade de São Paulo, 2007.

EDWARDS, Jonathan. *Charity and its Fruits*. Carlisle, PA: The Banner of Truth Trust, 2000.

GIDDENS, Anthony. *Sociologia*. São Paulo: Artmed Editora, 2006.

GUITTON, Jean. *O livro da sabedoria e das virtudes redescobertas*. Rio de Janeiro: FGV Editora, 2003.

Hinário Presbiteriano. São Paulo: Cultura Cristã, 1981.

HOBBES, Thomas. *Leviatã*. São Paulo: Ícone, 2000.

HOUSTON, James M., ed. *Mente em chamas*. Brasília: Palavra, 2007.

JAMIESON, Robert; FAUSSET, A. R.; BROWN, David. *Comentario exegetico y explicativo de la Biblia*. Tomo II: El Nuevo Testamento. El Paso, TX: Casa Bautista de Publicaciones, 1983.

JOUVENEL, Bertrand. *O poder: história nacional de seu crescimento*. São Paulo: Peixoto Neto, 2010.

REFERÊNCIAS BIBLIOGRÁFICAS | **253**

JUDT, Tony. *O mal ronda a terra: um tratado sobre as insatisfações do presente*. Rio de Janeiro: Objetiva, 2011.

KELLER, Timothy; ALSDORF, Katherine L. *Como integrar fé e trabalho: nossa profissão a serviço do reino de Deus*. São Paulo: Vida Nova, 2014.

KELLER, Timothy. *Generous Justice: How God's Grace Makes Us Just*. New York: Riverhead Books, 2010. [Publicado no Brasil sob o título *Justiça generosa: a graça de Deus e a justiça social*. São Paulo: Vida Nova, 2013.]

LANDES, David. *Riqueza e a pobreza das nações: por que algumas são tão ricas e outras tão pobres*. Rio de Janeiro: Elsevier, 1998.

LAPLANTINE, François. *Aprender antropologia*. São Paulo: Brasiliense, 2007.

LEWIS, C. S. *Peso de glória*. São Paulo: Vida Nova, 1993.

LLOYD-JONES, Martyn. *Os puritanos: suas origens e sucessores*. São Paulo: Edições Evangélicas Selecionadas, 1993.

_____. *Romanos: o comportamento cristão*. São Paulo: Publicações Evangélicas Selecionadas, 2003.

LOCKE, John. *Dois tratados sobre o governo*. São Paulo: Martins Fontes, 2001.

LOVELACE, Richard. *Dynamics of Spiritual Life: An Evangelical Theology of Renewal*. Downers Grove, IL: InterVarsity Press, 1979.

MANTON, Thomas. *Geneva Series of Commentaries: James*. Edinburgh, (UK): The Banner of Truth Trust, 1998.

McGRATH, Alister. *A revolução protestante*. Brasília: Palavra, 2012.

McCULLOUGH, David. *John Adams*. New York: Simon and Schuster Paperback, 2001.

254 | CONVULSÃO PROTESTANTE

Moo, J. Douglas. *Tiago: introdução e comentário*. São Paulo: Vida Nova, 1999.

Nichols, Alan. *Viva a simplicidade! O compromisso evangélico com um estilo de vida simples*. São Paulo: ABU Editora e Visão Mundial, 1983.

Platão. *A república*. São Paulo: Martins Fontes, 2006.

Rienecker, Fritz; Rogers, Cleon. *Chave linguística do Novo Testamento grego*. São Paulo: Vida Nova, 1985.

Rousseau, Jean-Jacques. *Do contrato social*. São Paulo: Revista dos Tribunais, 2003.

Sachs, Jeffrey D. *O fim da pobreza: como acabar com a miséria mundial nos próximos vinte anos*. São Paulo: Companhia das Letras, 2011.

Sen, Amartya. *Desenvolvimento como liberdade*. São Paulo: Companhia das Letras, 2000.

Sire, James W. *The Universe Next Door: A Basic Worldview Catalog*. Downers Grove, IL: InterVarsity Press, 1988.

Soares, Luiz Eduardo. *Legalidade libertária*. Rio de Janeiro: Lumen Juris, 2006.

Sproul, R. C. *The Last Days According to Jesus*. Grand Rapids, MI: Baker Books, 1998.

Thompson, Augusto. *Quem são os criminosos? O crime e os criminosos: entes políticos*. 2. ed. Rio de Janeiro: Lumen Juris, 2007.

Stott, John. *Decisive Issues Facing Christians Today*. Grand Rapids, MI: Fleming H. Revell, 1993.

_____. *John Stott comenta o Pacto de Lausanne*. São Paulo: ABU Editora, 1983,

_____. *Ouça o Espírito, ouça o mundo*. São Paulo: ABU Editora, 1997.

_____. *O discípulo radical*. Viçosa, MG: Ultimato, 2011.

_____. *The Message of 1 Timothy & Titus*. Leicester, UK: InterVarsity Press, 1996.

Vieira, Antônio. *Sermões*. Vol. 1. São Paulo: Loyola, 2008.

Wallace, Ronald. *Calvino, Genebra e a Reforma*. São Paulo: Cultura Cristã, 2003.

Sobre o autor

Antônio Carlos Costa, nascido em 1962, no Rio de Janeiro, é fundador da ONG Rio de Paz (filiada ao Departamento de Informação Pública da ONU), jornalista, teólogo, e plantador e pastor da Igreja Presbiteriana da Barra, no Rio de Janeiro. Mestre em História do Cristianismo pelo Centro de Pós-Graduação Andrew Jumper, é doutorando em Teologia pela Faculté Jean Calvin, em Aix-En-Provence, na França. É casado com Adriany e pai de três filhos, Pedro, Matheus e Alyssa.

Compartilhe suas impressões de leitura escrevendo para:
opiniao-do-leitor@mundocristao.com.br
Acesse nosso *site*: www.mundocristao.com.br

Equipe MC:	Maurício Zágari (editor)
	Daniel Faria (editor assistente)
	Natália Custódio
Projeto gráfico e diagramação:	Triall Composição Editorial Ltda.
Revisão:	Josemar de Souza Pinto
Gráfica:	Assahi
Fonte:	Goudy Old Style BT
Papel:	Pólen Soft 70g/m² (miolo)
	Cartão 250 g/m² (capa)